# チーズのひと皿

**味わい楽しむ123レシピ**

スケイル Scales

## はじめに

チーズは芸術です。
自然の恵みと、人の知恵と工夫が重なった、奇跡と言ってもいい。

チーズの深く広い世界。
あまたの魅力的な味わいの、ほんのひとにぎりの奇跡しか、
きっと私たちの多くはまだ知りません。

チーズのレシピ本を書くと決まったとき、
それだけで完璧な食材である〝チーズ〟を料理することに
とまどいを覚えつつも、
チーズそのものをおいしく食べるためのレシピだったり、
チーズにほんのひと手間加えるだけのレシピ、
チーズとお酒のペアリングなど、
いくつものアプローチの可能性と、
さらなる広がりを見つけることができました。

本書はチーズを使った料理レシピのほかに、
チーズを何と食べるか、どのように食べるか、いつ食べるか。
そのような提案を随所にちりばめました。

味わいましょう、人生は一度きり。

皆様の生活にもっとチーズが寄り添う
きっかけになれますように。

Scales

**CONTENTS**

## 2. チーズのために

## 3. チーズとペアリング

## 4. 手作りフレッシュチーズ

## COLUMN

## チーズにひと手間

## チーズを贈る、チーズを運ぶ

・材料のチーズには★マークを付しています。
・小さじ1は5ml、大さじ1は15ml、1カップは200mlです。
・電子レンジは600Wで使用しています。
・オリーブオイルはエクストラバージン・オリーブオイルを使用しています。
・特にことわりがなければ卵はMサイズ、バターは有塩を使用しています。
・柑橘類はできるだけ国産、無農薬のものを選び、表面の汚れやワックスを除いてから使います。
・ナッツ類は食塩不使用のローストしたものを使用しています。

# チーズプラトーでマリアージュを楽しむ

チーズプラトーとは、ひと皿にお気に入りのチーズや果物、
ドライフルーツ、ナッツなどを好みに盛り合わせたもの。
ここでは飲み物とシチュエーションに合わせて、
4つの組み合わせをご紹介します。
自由に、楽しく、あなただけのプラトーを楽しんで

# Red wine

ひとりで、特別な時間
赤ワインのためのプラトー

好みはそれぞれで、組み合わせも自由。難しい
ことはなしですが、しっかりした重めの赤ワイ
ンにチーズはそれほど合わないように感じます。
赤ワインのタンニンに覆われた舌の上を、チー
ズの風味がするりと滑っていってしまうようで。
でも軽めの赤ワインやロゼなら大丈夫。おすす
めは葡萄(ぶどう)の品種でいうとピノ・ノワールや、ガ
メイなどでしょうか。はちみつやドライフルー
ツを添えてより楽しく。いつもの夜、それとも
休日の昼下がり、自分のためだけに気に入った
ワインを開けて、ほんのひと手間加えたチーズ
も用意すれば、さらに特別な時間を味わえるはず。

**a** 無花果(いちじく)キャラメリゼブルーチーズ
⇒無花果を縦半分に切り、½個につきグラニュー糖大さ
じ1をのせ、バーナーでキャラメリゼした上に薄く切っ
た好みの青カビタイプのチーズ(ロックフォールなど)適
量をのせる。

**b** ラムレーズンクリームチーズ
⇒清潔な容器に粗みじん切りにしたレーズン大さじ2を
入れ、ひたひたにラム酒を注ぎひと晩以上漬ける。軽く
水けをきったレーズンを3倍量のクリームチーズと混ぜ
合わせる。

**c** バルサミコの苺(いちご)ジャム
⇒市販の苺ジャム大さじ2にバルサミコ小さじ1を加え
て混ぜ合わせる。

**d** ブリー(白カビタイプ)

**e** クロタン・ド・シャヴィニョル(シェーブル)

# *White wine*

## みんなで、にぎやかに
## 白ワインのためのプラトー

ワインなら、チーズによく合うのは白であるように思います。ミネラリーな辛口、フルーティーな中甘口、蜜のような極甘口。それぞれに素敵に寄り添うチーズを用意したら、銘々好みの白ワインを持ち寄って、自宅でチーズパーティーも楽しいものです。もちろん、その逆も然（しか）り！プラトーには生の果物もたくさんのせましょう。

**a** カンボゾラのオーブン焼き
　⇒耐熱容器（またはスキレット）にカンボゾラ１個を８等分に切って入れ、はちみつ適量をかけ、黒粒こしょう少々をひき、200℃に予熱したオーブンで６〜７分焼く。

**b** 黒こしょうとカルダモンのグリッシーニ
　材料と作り方は p.104 参照

**c** クロタン・ド・シャヴィニョル（シェーブル）

**d** リヴァロ（ウォッシュタイプ）

**e** スティルトン（青カビタイプ）

**f** コンテ（ハードタイプ）

**g** ブリヤ・サヴァラン・フレ（フレッシュタイプ）

**h** ルブロション（ウォッシュタイプ）

**i** デリス・ド・ブルゴーニュ（白カビタイプ）

**j** ラングル（ウォッシュタイプ）

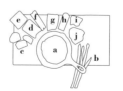

# Sake

ふたりで、しっとり
日本酒のためのプラトー

チーズにはその産地のワインやお酒と合わせる
ことがよくありますが、日本酒とチーズは、遠
く離れて生まれた距離をものともしない、感動
的な出合いを果たした奇跡のコンビ。特にウォッ
シュタイプのラングル！　セミハード・ハード
タイプではミモレットやコンテと相性がよいで
す。チーズそのものと日本酒を楽しむのももち
ろん、和の食材とかけあわせたつまみもオツな
もの。酒器には日本酒のフルーティーな香りを
しっかり受けとめるワイングラスもおすすめで
す（でも注ぐのは少しずつ）。甘口、辛口など
タイプの違うお酒で楽しむのもおすすめですね。
しっとりと、奇跡のペアリングを楽しんで。

**a** リコッタおかか
⇒リコッタチーズ大さじ２の上にかつお節少々をのせ、
ナンプラー数滴をたらす。
**b** クロタン・ド・シャヴィニョル（シェーブル）
**c** 腐乳クリームチーズ
⇒クリームチーズと腐乳を２：１の割合で混ぜ合わせる。
**d** コンテ（ハードタイプ）
**e** ミモレット（セミハード・ハードタイプ）
**f** ダナブルー（青カビタイプ）
**g** ラングル（ウォッシュタイプ）

# Chinese Tea

家族で、楽しく
中国茶のためのプラトー

すこし意外でしょうか、お茶とチーズの組み
合わせもおすすめです。中国茶にはドライ
フルーツのお茶請けが合いますが、そこに
シェーブルチーズを合わせましょう。フルー
ティーな木柵鉄観音にミルクのような香りの
阿里山高山金萱茶、チーズにぴったりなお茶も
セレクトしましたよ。

**a** セミドライバナナ
⇒バナナ1〜2本を手で縦に割き、100℃に予熱したオーブンで1時間半焼く。

**b** ドライオレンジとドライアプリコット

**c** モテアラフィユ（シェーブル）

**d** ヴァランセ（シェーブル）

**e** ドライ黒無花果ゴルゴンゾーラ
ドライ黒無花果に縦に切り込みを入れ、ゴルゴンゾーラ・ピカンテ（またはゴルゴンゾーラ・ドルチェ）適量を切り込みにはさむ。

**f** 棗と枸杞の実と、蓮の実のコンポート
⇒小鍋に棗5個、枸杞の実大さじ4、蓮の実大さじ2、浸るくらいの白ワイン、きび砂糖大さじ2、檸檬の輪切り2枚を入れて弱火で15分煮る。冷めたらそのまま、煮汁と一緒に冷蔵庫に入れる。汁けをきって盛りつける。

**g** デーツ・クリームチーズ
⇒ドライデーツに縦に切り込みを入れ、クリームチーズ適量、刻んだくるみ少々をはさむ。

*column.*

# 一度は食べたい特別なチーズ①

## MONT D'OR

### モン・ドール

産　地：フランス／スイス
タイプ：ウォッシュ

**[ おいしい食べ方 ]**

モン・ドール！　秋が近づきこの名前を
聞いただけで心躍ります。私にとっては
この素晴らしいチーズをいただくのが冬
の間の恒例一大イベント。モミの木枠に
入っているのは完熟したら形がくずれて
しまうから。それほどにやわらかいこの
チーズはスプーンですくっていただきま
すが、途中から温めてフォンデュ（フォ
ンドール／p.36 参照）にしても絶品で
す。ウォッシュタイプですが味わいはと
ても穏やか。苦手な方にもきっと気に
入っていただけるはず。

**[ チーズについて ]**

モン・ドールはフランスとスイスの国境
で生産されているため、フランス産とス
イス産があります。フランス産は毎年8
月15日から翌年3月15日までの限定
生産のため、日本ではおもに秋口から春
先までのお楽しみ。ぜひ一度、この至福
を味わってみてください。

## GJETOST

### イエトオスト

産　地：ノルウェー
タイプ：フレッシュまたはセミハード

**[ おいしい食べ方 ]**

聞きなれない不思議な響きですが、〝山
羊のチーズ〟という意味をもつ北欧の
チーズです。チーズと呼ばれていても厳
密にはそうではないようで、ホエー（乳
清）を煮詰めた独特な製法になります。
味わいも非常に個性的で似ているものを
思いつきませんが、塩けとわずかな酸味
のあるキャラメルのような雰囲気です。

**[ チーズについて ]**

そのまま薄く切ってパンとコーヒーと合
わせるのが一般的な食べ方だそうですが、
この本ではいろいろな食べ方を提案しま
した。特にキャラメル風味が全面に楽
しめるアマレット漬け（p.125 参照）と、
熱を入れることでキャラメルクリームの
ように変化するカルダモンロール（p.72
参照）は本当におすすめですのでぜひ試
してくださいね！

# 1.

## チーズのひと皿

そのまま和えて、ぐつぐつ煮て、
とろ～り溶かして、こんがり焼いて。
果物、野菜に、肉、魚、パスタやお米とチーズのひと皿。
考えるだけでもわくわくします。
チーズのおいしさを生かしたレシピを
たくさん集めました。

食べだしたら止まらないサラダで
す。似ているチーズもありますが、
やっぱりパルミジャーノがいちば
ん。ぜひこのチーズで作ってくだ
さいね。

## パルミジャーノと
## 生マッシュルームのサラダ

**材料**(2人分)
★パルミジャーノ・レッジャーノ　適量
マッシュルーム　6〜7個
紫玉ねぎ（または玉ねぎ）　⅛個
塩　少々
黒粒こしょう　少々
オリーブオイル　適量

**下準備**
・マッシュルーム はスライサーで薄切りに
　し、紫玉ねぎはみじん切りにする。
・チーズはピーラーで削る。

**1**　皿にマッシュルームを盛り、紫玉ねぎ
を散らす。
**2**　チーズをのせ、塩をふり、黒こしょう
をひいてオリーブオイルを回しかける。

**memo**
・パルミジャーノ・レッジャーノはピーラーで削るほ
　か、グレーターですりおろしたものでも。

熱を加えて焦げ目をつけるのが
チーズのもう１つの醍醐味！ す
ぐできますし、ちょっとしたおつ
まみになるのでおすすめですよ。

## じゃがいもとブルーベリー、 カマンベールのグラチネ

**材料**（２人分）
じゃがいも　小２〜３個
ブルーベリー　60ｇ
⇒冷凍ブルーベリーまたはブルーベリージャム大さ
じ３
★カマンベール（ひと口大に切る）
　½個（50ｇ）
アンチョビ（フィレ・みじん切り）
　１枚分
バター　10ｇ
塩、黒粒こしょう　各少々
はちみつ（好みで）　適量

**1**　じゃがいもはよく洗って芽を除き、皮
つきのまま鍋に入れ、ひたひたの水を加え
て中火でゆでる。竹串が通ったらざるに上
げて粗熱をとり、１cm幅の輪切りにする。
⇒ここでオーブンを200℃に予熱する
**2**　耐熱容器に1、ブルーベリー、チーズ、
アンチョビ、バターを入れ、塩をふって黒
こしょうをひき、200℃のオーブンで10
〜12分、表面に焦げ目がつくまで焼く。
**3**　好みではちみつをたらしていただく。

**memo**
・カマンベールのほか、白カビタイプのブリーや青カ
　ビタイプのカンボゾラ、ハードタイプのコンテでも。

トマトは低温でゆっくりロースト
すると、うまみが凝縮されて何
倍も味が濃くなります。そのまま
でも調味料のよう！ トマトのう
まみを存分に、いつもと違うカプ
レーゼをお楽しみください。

# スローローストトマトのカプレーゼ

**材料**（2人分）
ミディトマト　10個
ミニトマト　5個
★モッツァレラ（ちぎる）　1個
バジル　適量
オリーブオイル　適量
塩、黒粒こしょう　各適量

**1**　トマト2種はヘタを取って縦半分に切
り、アルミホイル（またはオーブンシート）
を敷いた天板に重ならないように並べ、予
熱なしの120℃のオーブンで2時間ほど低
温ローストする。
**2**　**1**をオーブンから出し、1時間以上そ
のままおく。
**3**　皿に**2**を並べ、チーズ、バジルを散らし、
オリーブオイル、塩をふり、黒こしょうを
ひく。

**memo**
・トマトは糖度の高いものを数種類使うと、味わいの
　違いによるうまみを楽しめます。

ウォッシュチーズのマンステール
にいぶりがっこ、クセの強いもの
同士って不思議とよく合うのです。
もちろんそのまま食べてもおいし
いけれど、おすすめは日本酒。お
酒にぴったりのポテサラですよ！

# マンステールといぶりがっこのポテトサラダ

**材料** (2人分)
じゃがいも　2個（正味250g）
★マンステール（8mmの角切り）　40g
いぶりがっこ（粗みじん切り）　50g
パンチェッタ（またはベーコン）　50g
⇒細切りにしてカリカリになるまで炒め、キッチン
ペーパーに軽くはさんで油をきる
マヨネーズ　大さじ2
ポン酢醤油　小さじ2
黒粒こしょう　少々

[ フライドオニオン ]
玉ねぎ（細切り）　¼個分
⇒玉ねぎは20分ほど空気にさらし、170℃の揚げ油
適量（分量外）で焦げないように注意しながら色がつ
くまで揚げる。市販のフライドオニオンでもよい

1　じゃがいもは洗って芽を除き、皮つき
のまま鍋に入れ、ひたひたの水を加えて中
火でゆでる。竹串が通ったら湯をきって熱
いうちに皮をむき、フォークで粗くつぶす。
2　1が熱いうちに、黒こしょうを除く残
りの材料を順に加え、そのつどさっくりと
混ぜ合わせる。器に盛り、黒こしょうをひ
き、フライドオニオンをのせる。
⇒じゃがいもが冷めてきたら、ほかの材料を混ぜ合
わせる前に電子レンジで温め直すとよい。またチー
ズといぶりがっこの塩味があるので、塩は不要

**memo**
・ウォッシュタイプのチーズなら、ポン・レヴェッ
　ク、マロワール、タレッジョ、エポワスが合います。
　ウォッシュ系の香りが苦手ならクリームチーズでも。
　その場合、塩少々を加えてください。

フレッシュシェーブルの深いミルクのコクを存分に味わうため、あえて調味料は使いません。好みで最後にはちみつをかけてもおいしいですよ。

# フレッシュシェーブルとシャインマスカット、ディルのサラダ

**材料**（2人分）
★フレッシュシェーブル・ナチュレ　50g
シャインマスカット　½房
ディル　3〜4枝

**下準備**
・チーズは手で軽くほぐす。
・シャインマスカットは房からはずし、縦半分に切る。
・ディルは茎から葉をしごいてはずす。

**1**　ボウルにシャインマスカットを入れ、チーズを加えて手でさっくりと混ぜ合わせる。
**2**　器に盛りつけディルを散らす。

**memo**
・フレッシュタイプのチーズと非常に相性のよいサラダです。リコッタチーズ、カッテージチーズ、ブリヤ・サヴァラン・フレでもおいしいですよ。
・「フレッシュシェーブル・ナチュレ」を求めるさいは、「フレッシュシェーブル・プレーン」でも同じものを求められます。

白菜にブロッコリーにルッコラ、見た目よりも野菜がたっぷりとれるサラダです。最近はサラダ用のやわらかな白菜も売っているので、そちらもおすすめ。

# ロックフォールとブロッコリーの白菜コールスロー

**材料**（3〜4人分）
白菜　1/8株
★ロックフォール（1cm角に切る）　40g
ブロッコリー（小房に分ける）　1個
A｜ルッコラ（粗みじん切り）　30g
　｜にんにく（粗く刻む）　2片
　｜ヘーゼルナッツ　40g
　｜⇒くるみ、アーモンドなど好みで
　｜オリーブオイル　大さじ5
　｜白ワインビネガー　小さじ2
塩、黒粒こしょう　各適量
ゆで卵（半熟・好みで）　1〜2個

**1**　白菜は繊維を断つように横1cm幅に切り、塩ひとつまみを加えて塩もみし、水けをしっかりと絞る。ブロッコリーは沸騰した湯に塩ひとつまみを入れて30秒ゆで、ざるに上げて水けをきる。
**2**　ミキサーにチーズとAを入れて攪拌し、ペースト状になったらブロッコリーを加えてさらに攪拌する。再びペースト状になったら大きめのボウルに移し、塩少々をふり、黒こしょうをひいて味をととのえ、白菜を加えてあえる。
**3**　器に盛り、好みで食べやすく切ったゆで卵を添える。

**memo**
・チーズは青カビタイプ全般、タレッジョやパルミジャーノ・レッジャーノ、ペコリーノ・ロマーノでも、おいしくアレンジできます。

柿をほんの少しだけ辛く味つけすると、不思議にうまみが増すのです。黒オリーブの塩けもポイント。イタリアのフレッシュタイプのチーズ、ブッラータからあふれるクリームをからめて召し上がれ。

# 柿と黒オリーブとブッラータのサラダ

**材料**（2人分）
柿　2個
黒オリーブの実（種なし・塩漬け）　適量
★ブッラータ　1個
オリーブオイル　小さじ1
カイエンヌペッパー　ふたつまみ
一味唐辛子　少々
塩　ひとつまみ

1　柿はヘタを取り除いて皮をむき、縦に8等分に切ってボウルに入れる。オリーブオイルを加えてからめ、カイエンヌペッパーをふって混ぜ合わせる。
2　皿に盛り、一味唐辛子、塩をふり、チーズをのせ、黒オリーブの実を散らす。

スパイスたっぷりのチーズをハーブでマリネしたサラダ！ パンにのせてもおいしいですし、チーズを少しくずして、ゆでたてのパスタにからめても。

# スパイスパニールのハーブマリネサラダ

**材料**（2〜3人分）
★スパイスパニール（p.130 参照） 170g
ディル 4〜5枝
バジル 10枚
にんにく 1片
オリーブオイル 100㎖
鷹の爪 1本
ピンクペッパー 10粒
塩、黒粒こしょう 各適量

**下準備**
・鷹の爪は種を取り出しみじん切りにする。
・ピンクペッパーは瓶の底などで軽くつぶす。

**1** チーズをラップに包み、直径 5 〜 6cm の棒状に成形し、冷蔵庫で 15 分以上休ませる。
**2** ディル、バジル、にんにくはそれぞれみじん切りにし、ボウルに入れてオリーブオイルを注ぎ、鷹の爪、ピンクペッパーを入れ、塩をふって黒こしょうをひき、軽く混ぜる。
**3** **1** を冷蔵庫から出して 1cm 幅に切り、バット（または深さのある皿）に入れ、**2** をまんべんなく注ぎ、ラップをして 1 時間ほどマリネする。

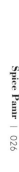

無花果や洋梨など酸味のやわらかいフルーツはチーズと好相性。このサラダはパンにもよく合います。バゲットもいいですが、ライ麦パンやトーストした食パンもおすすめですよ。

# フルム・ダンベールと無花果のサラダ

**材料**（2人分）
★フルム・ダンベール　30g
無花果　4個
ピスタチオ（殻をむく）　適量
くるみ　適量
はちみつ　大さじ2
白ワインビネガー　小さじ1

1　チーズは3mm幅に切る。無花果は皮つきのまま縦に8等分に切り、ナッツ類は粗みじん切りにする。
2　はちみつと白ワインビネガーを混ぜ合わせる。
3　器に無花果を盛りつけ、2を回しかける。ナッツ類をふり、チーズを添える。

**memo**
・チーズは青カビタイプならどれも合います。白カビタイプなら、カマンベールやシャウルスもおすすめ。

## ホワイトアスパラガスに
## タレッジョ風味の卵のソース

**材料**（2人分）
ホワイトアスパラガス　8本
★タレッジョ　40g
卵黄　3個分
卵白　2個分
オリーブオイル　大さじ2
塩、黒粒こしょう　各適量
ハーブ（ディルなど・あれば）　少々

**下準備**
・卵黄と卵白はそれぞれ別のボウルに入れて割りほぐす。
⇒卵白は湯煎にかけるのでステンレス製のボウルに入れる
・チーズは細かく切る。

**1**　アスパラガスは根元から3cmほど切り落とし、穂先3cmから下の皮はピーラーでむく。切り落とした根元とむいた皮は取っておく。
⇒ホワイトアスパラガスの皮には香りがあるので、一緒にゆでるとより香りがよくなる

**2**　フライパンに3cm高さまで水を張り、塩ひとつまみ、酢小さじ1（分量外）を入れ、1をすべて入れて中火にかける。10分ほどゆで、楊枝で刺して芯が残るくらいになったら火を止め、そのまま冷ます。

**3**　別のフライパンに3cm高さまで水を張って火にかけ、沸騰したらボウルごと卵白を湯煎にかけて泡立て器でかき混ぜ、半熟状にする。

**4**　3にチーズ、卵黄を少しずつ加えて混ぜながら、チーズが完全に溶けて卵が半熟状になったらすぐに湯煎からはずす。オリーブオイルを加えて混ぜ、塩少々をふり、黒こしょう少々をひいて味をととのえる。

**5**　2のアスパラガスの根元と皮を除き、水けをきって皿に並べる。4のソースをかけて黒こしょう少々をひき、あればハーブを飾る。

**memo**
・ほかにポン・レヴェックやマンステールなど、ウォッシュタイプのチーズが合います。

卵とウォッシュチーズの組み合わせは最高。ここではタレッジョを合わせます。ホワイトアスパラガスのほか、カリフラワーにもおすすめのソースです。

ラクレットはゆでたじゃがいもに
かけて食べるのが一般的ですが、
生の果物とも好相性。ほかに洋梨
とよく合います。

# ラクレット、無花果にかけて

**材料**（2人分）
★ラクレット（1cm幅に切る）　100g
無花果　4個
バゲット（薄切り・あれば）　適量

1　無花果は室温にもどす。
2　フライパンを中火で熱し、チーズを入れて火を弱め、溶けたら火を止める。
⇒火を入れすぎると油分が出て分離してしまうので注意
3　器に1を盛って2をかけ、あればバゲットを添えて温かいうちにいただく。

**memo**
・ほかにはハードタイプのグリュイエール、ウォッシュタイプのルブロションでもおいしくいただけます。

オレンジたっぷりのチーズを贅
沢に丸ごと使った、まるでデザー
トのようなサラダです。

# オレンジパニールの
# ディルとはちみつがけサラダ

**材料**（2人分）
★オレンジパニール（p.131 参照）　130g
ディル　適量
はちみつ（あれば巣蜜）　適量
塩、黒粒こしょう　各少々

**1**　ディルは茎から葉をしごいてはずし、
粗くちぎる。
**2**　皿にチーズを盛り、上に**1**をふっては
ちみつをかけ、あれば巣蜜をのせる。塩を
ふって黒こしょうをひく。

**memo**
・あれば巣蜜（写真）をのせると見た目も素敵になり
　ます。はちみつはたっぷりかけて。

ハードタイプの人気のチーズ「コンテ」は魚や野菜と相性がよく、うまみがちょうどいい具合に素材になじみます。いろいろ試して楽しんでみてくださいね。

# コンテと蕗の薹の春巻き、コンテと鮪の春巻き

材料（2〜3人分）
春巻きの皮　10枚
★コンテ（1cm角×7cm長さに切る・a）
　10本
鮪（刺身用）　5切れ（50〜60g）
蕗の薹（縦4〜6等分に切る）　2〜3個
好みの魚醤（ヌクマム、ナンプラー、
　　しょっつるなど）　大さじ2
薄力粉　大さじ1
⇒水大さじ1½で溶いてのりを作る
揚げ油　適量

1　鮪はバットに並べて好みの魚醤をふり、15分ほどおく。
2　蕗の薹は熱湯で1分ほどゆでてざるに上げ、粗熱がとれたらキッチンペーパーで水けを絞り、塩ひとつまみ（分量外）をまぶす。
3　春巻きの皮を広げて中央よりやや下に、1を1切れ、チーズ1本を並べて巻き、巻き終わりを薄力粉ののりでしっかりととめる。これを5本作る。
4　残りの春巻きの皮に2を1〜2個とチーズ1本を並べて巻き、3と同様にして5本作る。
5　170℃の揚げ油できつね色になるまで揚げる。

a

じゃがいもで作るのが一般的なド
フィノワですが、甘くておいしい
さつまいもでもぜひ試してみてく
ださい。ふわっと香るシナモンが
ポイントです。カンボゾラは表面
が白カビ、中身が青カビタイプと
いうチーズ。とてもマイルドなの
で、ブルーチーズが苦手な人でも
食べやすいですよ。

# カンボゾラと安納芋（あんのういも）のドフィノワ　シナモンの風味

**材料**（2人分）
★ カンボゾラ（ひと口大に切る）　60g
安納芋　250g
⇒紅はるか、シルクスイートなど甘みの強いさつま
いもがおすすめ
シナモン（パウダー）　少々
生クリーム　100mℓ
牛乳　100mℓ
塩　小さじ½

**1**　安納芋はよく洗い、皮つきのまま1cm
幅の輪切りにする。
⇒水にさらさなくてよい
**2**　ボウルに生クリームと牛乳を合わせて
混ぜ、塩を加えて混ぜて溶かす。
**3**　フライパンに**1**を並べて**2**を注ぎ、シ
ナモンをふってふたをし、中火にかける。
沸騰したら弱火にして、安納芋に軽く火が
通るまで3～4分煮る。
⇒ここでオーブンを220℃に予熱する
**4**　耐熱容器に**3**を汁ごと入れてチーズを
散らし、220℃のオーブンで15分、表面
に焦げ目がつくまで焼く。

Fromage Blanc | 034

## フロマージュ・ブランの
## 檸檬フラワーテリーヌ

**材料**（作りやすい分量）
★フロマージュ・ブラン　160g
檸檬ピール（下記参照・または市販）
　40g
はちみつ　大さじ2
ローズ、ブルーマロウ、マリーゴールド
　（すべてハーブティー用）
　各小さじ1（正味）
⇒それぞれ茎やがくをはずし、花びらを細かくちぎる
ミント（ドライ）　小さじ½

**1**　檸檬ピールは粗みじん切りにする。
**2**　ボウルにチーズを入れ、**1**、はちみつ
を加えてゴムべらでよく混ぜる。ラップを
広げた上にあけ、ラップで包んでかまぼこ
形に成形し、冷蔵庫で2時間以上冷やす。
**3**　ハーブティー用の花類は合わせる。
**4**　**2**を冷蔵庫から出してラップをはずし、
新しいラップを広げて中央に置き、**3**とミ
ントを全体に散らす。ラップでやさしく包
み、冷蔵庫で1時間以上冷やす。
**5**　**4**を冷蔵庫から出してラップをはずし、
器に盛り、適量をスプーンなどで取り分け
ながらいただく。

*homemade*
### 自家製檸檬ピール

**材料**（作りやすい分量）
檸檬（無農薬）　1個
きび砂糖　45g

**1**　檸檬は横半分に切り、½個分の果汁を搾
る。スプーンで内側の果肉と薄皮をくり抜
いて除き、皮を縦4等分に切る。皮の内側
の白いワタをナイフで切り取り、細切りに
する。
**2**　鍋に細切りにした**1**の皮を入れて水
600mlを加えて火にかけ、沸騰したら湯を
捨てる。再び同量の水を入れて火にかけて
沸騰させ、ざるに上げて湯をきる。
**3**　鍋に**2**とかぶるくらいの水を入れて中火
にかけ、沸騰したら弱火にして、皮がやわ
らかくなるまで煮る。
**4**　砂糖と**1**の果汁を加えてさらに15分煮
て、火を止める。粗熱がとれたら保存容器
に入れ、冷蔵庫でひと晩寝かせる。

**memo**
・冷蔵庫で約2週間保存可能。

ピンク、紫、黄色。色とりどりの
花びらをまとったレモン風味の
チーズテリーヌ。テーブルが華や
かになりますよ。

毎年秋から冬にかけて大きな楽しみが待っています。生産も販売も期間限定の絶品ウォッシュチーズ、モン・ドールの季節！ 最初はワイン片手に、贅沢にそのままスプーンでいただいて、その後は熱々のフォンデュに、なんて2つの楽しみ方もできますよね。

# モン・ドールのフォンデュ 〝フォンドール〟

**材料**（3〜4人分）
★モン・ドール　1個
パン粉　大さじ1
マッシュルーム（新鮮なもの）、じゃがいも、
　グリーンアスパラガス、ヤングコーン、
　芽キャベツ、カリフラワー（小房に分ける）
　など　各適量
⇒好みでアメリカンチェリー、食用ほおずき、ミニトマト、ドライ無花果、バゲットなど各適量
塩　適量

1　マッシュルームは縦4等分に切る。アスパラガスは根元のかたい部分を2cmほど切り、固めに塩ゆでしてざるに上げる。じゃがいもはよく洗って芽を除き皮つきのまま、芽キャベツ、ヤングコーン、カリフ
ラワーも、それぞれ固めに塩ゆでしてざるに上げ、大きいものは食べやすく切る。
⇒ここでオーブンを180℃に予熱する

2　チーズの容器のふたを開け、チーズが入ったままの状態で容器の底と側面を焦げないようにアルミホイルで包む。チーズの上面の皮をくり抜いて取り除き（**a**）、パン粉をふり、180℃のオーブンで18〜20分、表面がきつね色になるまで焼く。

3　1と2を器に盛り、フォンデュしながらいただく。
⇒チーズが冷めないよう、食べるときはアルミホイルを巻いたままでもよい

**a**

豆腐の代わりにモッツァレラ！ おいしくならないわけがない組み合わせ！ ポイントはチーズを溶かしすぎないこと、後半はスピードが肝心です。

# モッツァレラと白こしょうの白麻婆

**材料**（2人分）
★ モッツァレラ（8等分に切る）　1個
鶏ひき肉　100g
長ねぎ（みじん切り）　½本分
青唐辛子（ヘタと種を取り除き、小口切り）
　3本分
A｜にんにく、生姜（ともにすりおろす）
　　　各1片
　　ごま油　適量
鶏ガラスープの素　小さじ1½
⇒熱湯150mℓで溶かしてスープを作る
B｜豆乳　150mℓ
　　白しょう　小さじ½
万能ねぎ（小口切り）　4〜5本分
水溶き片栗粉(片栗粉小さじ2+水大さじ1)
粉山椒　適量

**1**　フライパンにAを入れて中火で炒め、香りが出たら長ねぎ、青唐辛子、ひき肉を入れてひき肉をほぐすように炒める。
**2**　肉の色が変わったらスープを入れて強火にし、煮立ったら中火で4分ほど煮る。
**3**　チーズの水けをキッチンペーパーでふき取り、薄力粉（分量外）をはたく。
**4**　2にBを加えてよく混ぜ合わせ、再びひと煮立ちしたら火を弱め、3、万能ねぎ、水溶き片栗粉を回し入れて、やさしく混ぜながら1分煮る。
**5**　チーズの表面が溶けかかったら火を止め、器に盛り、粉山椒をふっていただく。

# フレッシュシェーブルと
# ドライトマトの水餃子

**材料**（2〜3人分）
[ 餡 ]
★ フレッシュシェーブル・ナチュレ（**a**）
　120g
ドライトマトのオイル漬け
　（p.110 参照・または市販）　6枚
合びき肉　200g
玉ねぎ（すりおろす）　½個
オレガノ（ドライ）　少々
塩、黒粒こしょう　各少々

[ 餃子の皮 ]
⇒市販の餃子の皮 24 枚で代用してもよい

薄力粉　80g
強力粉　80g
塩　ひとつまみ
水　90㎖

オレガノ（ドライ・仕上げ用）　少々
オリーブオイル　適量

**下準備**
・チーズは 1.5cm 角に切って 24 個用意する。
・ドライトマトのオイル漬けは、キッチンペーパーではさんで余分な油分をふき取り、みじん切りにする。

**1**　餃子の皮を作る。大きめのボウルに粉類、塩、分量の水を入れ、なめらかになるまでこねる。1つにまとめてボウルに入れ、ぬれ布巾をかけて室温で 20 分休ませる。
**2**　打ち粉（薄力粉・分量外）をした台の上で **1** を 24 等分に分けて丸め、麺棒で直径 9 〜 10cm に伸ばす。打ち粉（薄力粉・分量外）をしたバットに入れ、乾燥しないようぬれ布巾をかける。
**3**　餡を作る。別のボウルにひき肉、玉ねぎ、オレガノを入れて塩をふり、黒こしょうをひいて軽く混ぜる。ドライトマトを加えてさらによく混ぜ、24 等分する。
**4**　**2** の縁を水でぬらして **3** をスプーンでのせ、上にチーズを置いて皮をしっかりと閉じる。これを 24 個作る。
**5**　鍋にたっぷりの湯を沸かし、**4** を入れて 3 〜 4 分ゆでる。
**6**　器に盛り、塩少々（分量外）、オレガノをふり、オリーブオイルを回しかける。

酸味のフレッシュシェーブルとうまみのドライトマトの水餃子。オリーブオイルをたっぷりかけて召し上がれ。

a

ほんのりゴルゴンゾーラ風味のフォンデュは、魚介にぴったり！ぜひバゲットや白ワインも用意して。魚介の材料は好きなものを好きなだけどうぞ。ゴルゴンゾーラは、青カビタイプのチーズで代用できます。

# 魚介のゴルゴンゾーラフォンデュ

**材料**（2人分）

ほたるいか（ボイルしてあるもの）　適量
⇒目を取ると食べやすくなる

ほたて、えび、たこ、いか、牡蠣など
　各適量

★ゴルゴンゾーラ・ピカンテ　30g
★グリュイエール　110g
★エメンタール　80g
塩　適量
コーンスターチ　大さじ1
にんにく　1片
白ワイン　80mℓ
ナツメグ（パウダー）、黒粒こしょう
　各少々

1　魚介はそれぞれ塩少々を入れた熱湯でゆで、ざるに上げて水けをきる。えびは殻をむき、大きいものはそれぞれ食べやすい大きさに切って皿に盛る。

2　チーズ3種は1cm角に切ってボウルに入れ、コーンスターチをふり、ボウルを揺すってまんべんなくまぶす。

3　フォンデュ鍋の内側ににんにくをこすりつけて香りをつける。

4　3に白ワインを入れて弱めの中火にかけ、沸騰したら2とナツメグを入れ、黒こしょうをひき、焦げつかないよう木べらで混ぜる。チーズが溶けたら1をチーズにからめていただく。

パセリをたくさん食べられるレシピ！ ご飯ともよく合いますよ。パセリのほかに、ほうれん草や小松菜もいいですね。

# フェタチーズとパセリとえびのカレー炒め

**材料**（3〜4人分）

★フェタチーズ　200g
⇒バットに入れて牛乳をひたひた（分量外）に注ぎ、30分ほどおいて塩抜きをして水けをきる

有頭えび　150g
⇒頭と尾を残して殻をむき、背ワタを除いて尾の先を切り落とす

パセリ（粗みじん切り）　150〜200g

A
生姜（みじん切り）　1片分
にんにく（みじん切り）　2片分
オリーブオイル　適量

B
ターメリック　小さじ1
カイエンヌペッパー　小さじ1/2
クミン　小さじ1 1/2
ガラムマサラ　小さじ2

黒粒こしょう　少々

1　チーズを2cm大にほぐす。

2　フライパンに**A**を入れて火にかけ、炒める。香りが立ったらえび、**B**を加えて炒め、えびの色が変わったらパセリを入れて炒め合わせ、ふたをして弱めの中火で6〜8分加熱する。

3　**1**を加えて木べらでやさしく混ぜながら、水分を飛ばすように2〜3分炒める。黒こしょうをひいて味をととのえる。
⇒味をみて足りなければ塩少々（分量外）で調味する

**memo**

・フェタチーズのほか、ハルミ、自家製パニール（p.130参照）など溶けにくいチーズもおすすめです。

パルミジャーノをたっぷりかける
のがおすすめです。魚介のうまみ
がスープにしみ出ているので、ぜ
ひバゲットも一緒に！

# あさりのミルクパルミジャーノ蒸し

**材料**（2人分）
あさり（殻つき）　250〜300g
牛乳　50mℓ
★パルミジャーノ・レッジャーノ
　（すりおろす）　大さじ2＋仕上げ用適量
にんにく（みじん切り）　1片分
白ワイン　大さじ2
バター（食塩不使用）　10g
イタリアンパセリ（みじん切り）　少々

**下準備**
・あさりは殻をこすり合わせて洗い、3％
　の塩水で砂抜きして水けをきる。

**1**　フライパンにバターを入れて中火にか
け、にんにくを入れて香りが出るまで炒め
る。白ワイン、あさり、チーズを加えて混
ぜ合わせ、チーズが溶けたらふたをし、弱
火にして蒸し煮にする。
**2**　あさりの殻が開いたら、牛乳を入れて
ひと煮立ちさせて火を止める。
**3**　器に盛り、仕上げ用のチーズ、イタリ
アンパセリをふる。

ほんのりチーズ風味の鰆は、味わい深くとてもおいしいです（じつはウォッシュチーズを冷蔵庫に入れっぱなしにして、忘れてしまったときの救済レシピでもあります）。

# 鰆のエポワス味噌焼き

**材料**（2 人分）
鰆　2 切れ
★ エポワス（ひと口大に切る）　130g
西京味噌　大さじ 3
酒、みりん　各大さじ 1
砂糖　小さじ 1

**下準備**
[ 前日 ]
① 鰆は両面に塩少々（分量外）をふって 30 分おき、水けをふく。
② チーズは耐熱容器に入れ、電子レンジで 20 秒加熱する。
⇒温めすぎると分離するので注意
③ 西京味噌に②を加え、残りの調味料を加えてよく混ぜ合わせ、チーズ味噌を作る。

④ バットに①を入れて両面に③を塗り、鰆にぴったりと密着するようにラップをして、冷蔵庫でひと晩以上寝かせる。
⇒しっかり漬かった状態なら 3 日ほど寝かせられる

------------------------------------------------------

**1**　冷蔵庫から鰆を出し、清潔なゴムべらでチーズ味噌を取り除いてキッチンペーパーできれいにふき取り、魚焼きグリルでうっすらと焼き色がつくまで両面を焼く。
⇒ゴムべらで取り除いたチーズ味噌はバットに戻し、1 ～ 2 回使用可能

**memo**
・エポワス以外にもいろいろなウォッシュタイプのチーズ、たとえばタレッジョやマンステール、モン・ドールでもおいしくできます。また鰆の代わりに鶏もも肉を使ってもいいですね。

サガナキはギリシャ料理ですが、魚介と豚肉の組み合わせはポルトガルのアレンテージョがヒント。素材からしみ出た煮汁がとってもおいしいので、ぜひ好みのパンに浸して！ チーズの塩けが強いので味つけは薄めで。

# 魚介と豚肉のサガナキ

**材料**（3〜4人分）
有頭えび　10尾
⇒頭と尾を残して殻をむき、背ワタを除いて尾の先を切り落とす
あさり（殻つき）　100g
⇒殻をこすり合わせて洗い、3%の塩水で砂抜きする
豚バラ肉（ひと口大に切る）　200g
⇒または豚ロース肉
★ フェタチーズ（2cm大にほぐす）　100g
玉ねぎ（みじん切り）　½個分
にんにく（みじん切り）　1片分
トマト（中玉・湯むきしざく切り）　6個分
白ワイン　大さじ3
塩、黒粒こしょう　各適量
オリーブオイル　適量
イタリアンパセリ（みじん切り）　適量

1　フライパンにオリーブオイル大さじ1を引き、玉ねぎ、にんにくを入れて中火にかけ、香りが出たらえびを入れて炒める。えびの色が変わったらいったん取り出す。
2　1のフライパンに豚肉を入れて炒め、肉の色が変わったら、水けをきったあさり、トマト、白ワインを入れてふたをし、弱火にして蒸し煮にする。あさりの殻が開いて、煮汁にとろみがついたらえびを戻し入れ、軽く煮込んで塩をふり、黒こしょうをひいてやや薄味に調味する。
3　器に盛り、チーズを散らし、オリーブオイル少々を回しかけ、イタリアンパセリを散らす。

豚肉がしっとりやわらかく焼けたらうれしいですよね。ウォッシュチーズのこっくりしたソースに、ドライのミントがポイントです。ぜひふりかけてみて。

# 豚肉のマンステールチーズソース

**材料**（2人分）
豚ロースかたまり肉　400g
★マンステール（1cm角に切る）　60g
生クリーム　100mℓ
卵黄　1個分
オリーブオイル　適量
塩、黒粒こしょう　各適量
薄力粉　少々
ミント（ドライ）　少々

**下準備**
・豚肉は調理する30分前に冷蔵庫から出す。両面に塩少々をふり、黒こしょう少々をひいて薄力粉をまぶし、余分な粉をはたく。
・オーブンは110℃に予熱する。

**1**　チーズは電子レンジで20秒温めて溶かし、粗熱がとれたらすぐに生クリーム、卵黄を加えてミキサーで攪拌する。ボウルに移して塩少々をふり、黒こしょう少々をひいてゴムべらで軽く混ぜる。
**2**　フライパンにオリーブオイルを熱し、豚肉を入れ、4つの面に焦げ目がつくまで強火で1〜2分ずつ焼く。
**3**　オーブンシートを敷いた天板に**2**をのせ、110℃のオーブンで23〜25分焼く。いったん取り出して肉を裏返し、前後の向きも変えてさらに23〜25分焼く。再び取り出してアルミホイルで肉を覆い、オーブンに戻しそのまま余熱に30分おく。
**4**　**3**を2cm厚さに切って器に盛り、**1**のソースをかけ、ミントをふる。

ストラッチャテッラは、パルミ
ジャーノと卵を使ったイタリアの
スープ。ここではラム肉でアレン
ジしました。スープのだしもラム
肉からとります。ゆっくり煮たラ
ム肉はとてもやわらかくおいしい
ですよ。

# ラムとミントのストラッチャテッラ

**材料**（2人分）
ラムのスペアリブ
　（またはラムチョップ）　400g
岩塩（または粗塩）　小さじ¼
水　4カップ
卵　2個
パン粉　20g
★パルミジャーノ・レッジャーノ
　（すりおろす）　20g
塩、黒粒こしょう　各少々
ミント（刻む）　少々

**1**　鍋にラム肉、塩、分量の水を入れて中
火にかけ、沸騰したら弱火にしてアクを取
り、2時間煮込む。いったん冷まし、白く
浮いた脂を取り除く。
⇒脂はすべてきれいに取り除かず、少し残す
**2**　ボウルに卵を割り入れ、パン粉、チー
ズを入れて泡立て器でよく混ぜる。
**3**　**1**の鍋を再び強火にかけ、沸騰したら
ラム肉を取り出す。**2**を入れて泡立て器で
手早くかき混ぜ、塩をふり、黒こしょうを
ひいて味をととのえ火を止める。
⇒沸騰した状態を保って卵液を流し入れる
**4**　器に**3**をよそい、ラム肉をのせてミン
トを散らす。

こっくりと濃厚なチーズのシチュー。体がとっても温まります。厚切りベーコンの食べごたえも楽しく、1杯でお腹も満足。チェダーチーズなら、レッドでもホワイトでもおいしくできます。

# レッドチェダーチーズと厚切りベーコンのシチュー

**材料**（3〜4人分）

A | ★レッドチェダーチーズ
（粗くすりおろす）　200g
牛乳　100ml

ベーコン（かたまり・1cm厚さに切る）
180g

B | 玉ねぎ（みじん切り）　1個分
セロリ（葉も含めてみじん切り）　1本分
にんにく（みじん切り）　2片分
タイム（葉をみじん切り）　2枝分

バター　20g

薄力粉（ふるう）　50g

固形ブイヨン　2個
⇒熱湯600mlで溶かしてスープを作る

オリーブオイル　小さじ2

塩、黒粒こしょう　各少々

**1** フライパンにベーコンを入れ、表面に焦げ目がつくまで焼いて取り出す。

**2** **1**のフライパンをキッチンペーパーでさっとふき、バターを熱し、溶けたら薄力粉を入れて木べらで混ぜながら、全体が茶色くなるまで弱めの中火で炒める。

**3** 鍋にオリーブオイルを熱し、**B**を加えて弱めの中火で8分ほど、しんなりするまで炒める。**2**を加えて混ぜ、スープを加え、ふつふつするまで煮込んで火を止める。粗熱がとれたらハンドブレンダーで攪拌する。

**4** **3**を再び弱めの中火にかけ**A**を加えてチーズを煮溶かし、**1**を戻す。塩をふり、黒こしょうをひいて味をととのえて器に盛り、好みで黒こしょう（分量外）をひき、あればタイム適量（分量外）を添える。

魚介とウォッシュチーズの組み合
わせが大好きです。海苔の佃煮の
代わりに、手に入れば生海苔でも
いいですね。そのさいは塩を少し
足してください。チーズはウォッ
シュタイプならどれでも合います。

## タレッジョとえび、
## 海苔の佃煮のパスタ

**材料**（2人分）
スパゲッティ　180g
★タレッジョ（皮を除き1cm角に切る）
　80g（正味）
A｜にんにく（みじん切り）　½片分
　　鷹の爪（種を取る）　1本
えび（背ワタを除き軽く水けをとる）　10尾
海苔の佃煮　小さじ2
⇒または好みの分量の生海苔
玉ねぎ（薄切り）　½個分
白ワイン　大さじ2
生クリーム　100mℓ
塩、黒粒こしょう　各適量
オリーブオイル　適量
イタリアンパセリ（みじん切り）　適量

1　スパゲッティは塩を加えた湯で表示ど
おりにゆでる。
2　フライパンにオリーブオイルを入れて
中火にかけ、Aを入れて炒める。香りが出
たらえび、玉ねぎを加えて軽く塩をふり、
黒こしょう少々をひく。えびの色が変わっ
たらバットに取り出す。
3　2のフライパンに白ワイン、生クリー
ムを入れて中火にかけ、温まったらチーズ
を入れて溶かし、海苔の佃煮を入れて混ぜ
合わせる。湯をきった1を加えてよくあ
える。
⇒海苔の佃煮は入れすぎると甘みが強くなるので注意
4　器に盛り、イタリアンパセリを散らし、
黒こしょう少々をひく。

スナック菓子のような揚げペンネは揚げすぎ厳禁。さっと手早く揚げるのがポイントです。からっと揚がったペンネに温かいチーズをまとわせて。

# 揚げペンネのフォンドゥータ

**材料**（2人分）
ペンネ　60g
★フォンティーナ（2cm角に切る）　100g
コーンスターチ　大さじ1
A│白ワイン　50mℓ
　│にんにく（すりおろす）　少々
塩、黒粒こしょう、揚げ油　各適量

**下準備**
［前日］
・ペンネは塩を加えた湯で20〜25分ゆでる。湯をきり、重ならないようバットに並べ、そのままひと晩乾かす。

［当日］
・チーズはコーンスターチをまぶす。

**1**　フォンドゥータソースを作る。鍋にAを入れて中火で温め、沸騰する直前にチーズを加え、弱火でなめらかなソースになるまでしっかり混ぜ、塩少々をふり、黒こしょう少々をひく。
**2**　揚げペンネを作る。多めの揚げ油を200℃に熱し、ペンネを重ならないように入れ、軽く混ぜながら30〜40秒揚げる。
⇒くっつきやすいので、数回に分けて揚げてもよい
**3**　器に**2**を盛り、**1**のソースをかけて黒こしょう少々をひく。
⇒ソースが冷めていたら、軽く温め直してからかける

**memo**
・フォンティーナはイタリアのセミハードチーズ。グリュイエールやシュレッドチーズでも。

さっぱりしたオリエンタルな味わいのパスタ。ミモレットとパクチーがよく合いますよ。

# ミモレットとパクチーのスパゲッティ

**材料**（2人分）
スパゲッティ　180g
★ミモレット（すりおろす）　30g
パクチー　適量
好みの魚醤（ヌクマム、ナンプラー、
　　しょっつるなど）　小さじ1
オリーブオイル　小さじ2
レモン汁　1/2個分
黒粒こしょう　少々
塩　適量

**下準備**
・パクチーは葉をはずす。

1　スパゲッティは塩を加えた湯で表示どおりにゆでる。
2　ボウルに好みの魚醤、オリーブオイル、レモン汁を入れて混ぜる。
⇒魚醤が塩代わりなので、塩は不要。味が薄いと感じたら、塩少量を加えて調節する
3　2に湯をきった1を加えてボウルをあおりながら混ぜ合わせ、さらにチーズ、パクチーを加えて混ぜ合わせる。
4　器に盛り、黒こしょうをひく。

卵、特に黄身の部分と、ウォッシュチーズはなんて相性がいいのでしょう。いつものカルボナーラが超濃厚な贅沢味にランクアップしますよ!

# タレッジョのカルボナーラ

**材料**（2人分）
リガトーニ　160g
⇒または好みのパスタ
★ タレッジョ（皮を除き1cm角に切る）60g
★ ペコリーノ・ロマーノ（すりおろす）
　50g
⇒またはパルミジャーノ・レッジャーノ
パンチェッタ（8mm幅の細切り）　80g
⇒または厚切りベーコン
白ワイン　大さじ1½
卵黄　4個分
黒粒こしょう　少々
塩　適量

**1**　リガトーニは塩を加えた湯で表示どおりにゆでる（ゆで汁は少量取っておく）。

**2**　フライパンにパンチェッタを入れて弱火で熱し、脂が出てきたら白ワインを加え、表面がカリカリになるまでよく炒める。
**3**　タレッジョは耐熱容器に入れて電子レンジで30秒加熱する。
⇒分離するので、30秒以上加熱しないよう注意
**4**　ボウルに**3**、ペコリーノ、卵黄、**1**のゆで汁を加えて混ぜ合わせる。熱々の**2**を脂ごと入れて混ぜ合わせ、湯をきった**1**を加えてよく和える。
**5**　器に盛り、黒こしょうをひく。
⇒ボウルに残ったソースもきれいに集めてかける

**memo**
・チーズはエポワス、ポン・レヴェックやマンステールなど、ウォッシュタイプならどれも合います。

Taleggio, Pecorino Romano | 051

# ストラッチャテッラあふれるラビオリ、ピスタチオとミントのソース

**材料**（2人分）

[ストラッチャテッラ]
★モッツァレラ　1個
生クリーム　大さじ2½
塩　ひとつまみ

[ラビオリ生地]
⇒市販の餃子の皮8枚で代用してもよい
薄力粉　100g
卵　1個
オリーブオイル　大さじ1
塩　ひとつまみ

[ピスタチオとミントのソース]
ピスタチオ（殻なし・粗みじん切り）
　40g
にんにく（粗みじん切り）　½片分
ミント（粗みじん切り）　4〜5g
★パルミジャーノ・レッジャーノ
　（すりおろす）　20g
オリーブオイル　大さじ3
レモン汁　大さじ2
塩、黒粒こしょう　各少々

ミント　少々
黒粒こしょう　少々
オリーブオイル　適量

ストラッチャテッラには「ブッラータの中身」という意味もあります。ピスタチオとミントのさわやかなソースがよく合います。ラビオリも簡単にできますのでぜひ手作りして。

**下準備**

・ラビオリ生地を作る。ボウルに材料をすべて入れて手で混ぜ、5分ほどこねる。打ち粉（分量外）をした台に移し、麺棒で1mm厚さに伸ばす。直径10cmくらいの丸い抜き型（またはコップ）で8個ほどくり抜き、台に軽く打ち粉（分量外）をして重ならないように並べる。

・ストラッチャテッラを作る。モッツァレラはキッチンペーパーで包み、軽く水けをきる。ボウルに入れて指先ですりつぶすように少しずつ細かくちぎり、生クリーム、塩を加えて木べらでよく混ぜ、ラップをして15分以上冷蔵庫で冷やす。

**1**　ピスタチオとミントのソースを作る。ピスタチオとにんにく、ミントをすり鉢に入れ、小さな粒がところどころ残るくらいのペースト状にすりつぶし、パルミジャーノ、オリーブオイル、レモン汁を加えてよく混ぜ合わせる。黒こしょうをひき、味をみて塩で調味する。

**2**　冷蔵庫からストラッチャテッラを出し、スプーンでラビオリ生地の中央にのせ、生地の周囲に水をつけて、半円形に貼り合わせる。さらに半円の端2カ所に水をつけて、端と端をくっつける。
⇒ゆでているときに中身が出ないようしっかり閉じる

**3**　大きめの鍋にたっぷりの湯を沸かして塩小さじ1（分量外）を入れ、**2**を4〜5分ゆでる。

**4**　ボウルに**1**のソースを入れ、湯をきった**3**を加えてボウルをあおりながら混ぜ合わせる。

**5**　器に盛り、ミントを散らし、黒こしょうをひき、オリーブオイルを回しかける。

ウォッシュタイプのチーズをたっぷり使ったオートミールの食感も楽しいミルク粥、ぽかぽかと体が温まりますよ。

# 魚介とクレソンとポン・レヴェックのミルク粥

**材料**（2人分）
あさり（殻つき） 100g
ほたて（刺身用またはボイル） 100g
クレソン（2cm長さに切る） 40g
★ポン・レヴェック（1cm角に切る）
　 40g
牛乳 500mℓ
白ワイン 40mℓ
オートミール 85g
塩、黒粒こしょう 各適量

**下準備**
・あさりは殻をこすり合わせて洗い、3％の塩水で砂抜きして水けをきる。
・ほたては繊維に沿って4等分に切る。

**1** 鍋にあさりと白ワインを入れてふたをし、中火にかける。あさりの殻が開いたらふたを取り、ほたて、オートミール、牛乳を加えてかき混ぜながら、オートミールが粥状になるまで弱火で煮込む。
**2** クレソン、チーズを加え、塩少々をふり、黒こしょう少々をひいて軽くかき混ぜ、火を止める。器に盛り、好みでさらに黒こしょう少々をひいていただく。

ブイヨンのいらないお気軽なリ
ゾットです。大丈夫、だしはパル
ミジャーノからとりますから。

## マスカルポーネとサフランのリゾット

**材料**（2人分）
米　150g
★マスカルポーネ　大さじ2
サフラン　ふたつまみ
玉ねぎ（みじん切り）　½個分
★パルミジャーノ・レッジャーノ
　（すりおろす）　30g
水　600～700mℓ
オリーブオイル　適量
塩、黒粒こしょう　各少々
ハーブ（ディル、パセリなど・あれば）
　少々

**下準備**
・サフランは40mℓの湯につける。

**1**　フライパンにオリーブオイルと玉ねぎ
を入れて中火にかけ、玉ねぎが透明になる
まで木べらで炒める。
**2**　**1**に米を洗わずに入れて軽く炒め、米
の表面が透明になったらサフランを湯とと
もに半量、パルミジャーノ、分量の水から
約100mℓを入れて加熱し、沸騰したら火
を弱める。
**3**　**2**を絶えず混ぜながら、煮詰まったら
残りの水を少しずつ加えてかき混ぜる、を
米に火が通るまで18～20分繰り返す。
**4**　残りのサフランを湯とともに入れて混
ぜ、マスカルポーネを加えて塩をふり、軽
く混ぜてから黒こしょうをひいて味をとと
のえる。
**5**　器に盛り、あればハーブを飾る。

ハルミは熱を入れても溶けないキ
プロスのチーズ。炊き込みご飯に
入れて、しっかり具材としておい
しくいただけます。

## ドライトマトと鶏肉、
## ハルミチーズの炊き込みご飯

**材料**（3〜4人分）
米　1½カップ（300㎖）
ドライトマトのオイル漬け
　（p.110 参照・または市販）　50g
ドライトマトのオイル漬けのオイル
　（p.110 参照・または市販）　大さじ1
鶏もも肉　250g
★ハルミ　150g
水　300㎖
バジル（ドライ）　小さじ1

**1**　米を軽く研ぎ、ざるに上げて水けをき
る。鶏肉は2〜3cm角に切り、チーズは
1cm角に切る。
**2**　ドライトマトのオイル漬けは5mm厚
さのそぎ切りにする。
**3**　鍋にドライトマトのオイル漬けのオイ
ルを入れて中火にかけ、温まったら鶏肉を
入れて表面の色が変わるまで炒める。
**4**　3に米、分量の水、ドライトマト、チー
ズを入れ、沸騰したらふたをして弱火にし
て12分、火を止めて15分、そのまま蒸らす。
**5**　4にバジルをふり入れてほぐす。

ミントとコンビーフは大好きな組み合わせですが、とろけるカチョカヴァロも加えたらさらに最高。熱々のうちに食べてくださいね。

# コンビーフとミントと
# カチョカヴァロのホットサンド

**材料**（2人分）
食パン（8枚切り）　4枚
⇒パンはカンパーニュもおすすめ
コンビーフ缶　1缶（100g）
ミント　10g
★カチョカヴァロ　70g
黒粒こしょう　少々
バター（食塩不使用）　適量

**下準備**
・ミントは葉をはずして半分にちぎる。
・チーズは1cm幅に切る。

**1**　ボウルにコンビーフ缶を入れてほぐし、ミントを加え、黒こしょうをひいて混ぜる。
**2**　パンは2枚1組にして、1枚にバターを塗って**1**の¼量、チーズの半量、**1**の¼量の順にのせて平らにならす。もう1枚のパンをのせ、上から軽く押しつける。残り1組も同様に作る。
**3**　フライパンを中火で熱し、**2**を入れてフライ返しで上から押しつけながら、両面に焦げ目がつくまで焼く。
⇒焼き色がついて、チーズが溶けたら食べごろ
**4**　包丁で半分に切り、器に盛る。

# マンステールとクミンのタルトフランベ

**材料**（2人分）
★マンステール（1cm角に切る）　50g
クミン（シード）　大さじ1
バター（食塩不使用）　50g
中力粉　140g
⇒または薄力粉70g + 強力粉70g
水　50mℓ
プレーンヨーグルト　200g
パンチェッタ（またはベーコン・薄切り）
　30g
玉ねぎ（薄切り）　½個分
塩、黒粒こしょう　各適量

**下準備**
［前日］
・水きりヨーグルトを作る。ボウルにざる
　をのせてキッチンペーパーを敷き、ヨー
　グルトを入れてラップをかけ、110～
　140gになるまでひと晩冷蔵庫におく。

**1**　耐熱容器にバターを入れて、ふんわり
とラップをかけ、電子レンジで20秒加熱
する。
**2**　大きめのボウルに**1**と中力粉を入れ、
さっくりと手で混ぜ合わせる。ほろほろと
そぼろ状になったら分量の水を入れ、指先
でさっくりと混ぜ合わせ、ときどき手のひ
らでぎゅっと握っては離すを繰り返す。全
体が混ざったら1つにまとめてラップで包
み、室温で30分休ませる。
⇒ここでオーブンを230℃に予熱する
**3**　打ち粉（分量外）をした台に**2**を取り
出し、麺棒で厚さ3mm弱、25×25cm
くらいの四角形に伸ばす。
**4**　オーブンシートを敷いた天板の上に**3**
をおき、フォークでところどころ穴をあけ、
水きりヨーグルトを均一に塗り、チーズと
クミン、パンチェッタ、玉ねぎを散らして
塩をふり、黒こしょうをひいて230℃の
オーブンで20分焼く。

タルトフランベはフランス・アル
ザス地方の郷土料理。本来はフ
ロマージュ・ブランなどを使いま
すが、ウォッシュチーズのマンス
テールでアレンジして、相性のい
いクミンも合わせましょう。こち
らも絶品です。チーズはポン・レ
ヴェックやリヴァロ、ルブロショ
ンなどウォッシュタイプのチーズ
が合います。

# マッシュルームとカチョカヴァロのパイスープ
# ポルチーニ風味

**材料**（約260mℓ 容量の耐熱容器2個分）
マッシュルーム　7〜8個
★カチョカヴァロ　100g
冷凍パイシート（市販・約11×18cm）
　1枚
ポルチーニ（ドライ）　10g
卵　1個
玉ねぎ　1個
バター（食塩不使用）　20g
固形ブイヨン　1/2個
水　300mℓ
塩、黒粒こしょう　各少々

**下準備**
・パイシートは作業をする3時間前に冷蔵
　庫に移して解凍する。
・チーズは1cm角に切る。
・ぬるま湯40mℓを入れたボウルにポル
　チーニを入れ、30分おく。もどし汁はとっ
　ておく。
・ボウルに卵を割り入れ、水大さじ1を加
　えてよくほぐし、卵液を作る。

1　マッシュルームは縦半分、玉ねぎは薄
切りにする。
2　鍋にバターと玉ねぎを入れ、弱火で焦
げないよう混ぜながら、玉ねぎにうっすら
色がつくまで7〜8分炒める。マッシュ
ルームを加えて軽く炒め、ポルチーニとも
どし汁を入れ、固形ブイヨンを入れる。中
火にして分量の水を注ぎ、沸騰したらふた
をして弱火で10分煮る。塩をふり、黒こ
しょうをひいて味をととのえ、火を止める。
3　パイシートを台の上に広げ、耐熱容器
を伏せて置き、パイシートを容器の口径よ
りもひとまわり大きく切る。同様にもう1
枚用意する。
⇒パイシートの大きさが足りなければ麺棒で少し伸
ばす。ここでオーブンを200℃に予熱する
4　耐熱容器にそれぞれ均等にチーズを入
れ、2を等分に注ぎ入れる。
5　3のパイシートの縁に刷毛で卵液を塗
り、塗った面を内側にして4にかぶせ、容
器にしっかり密着するようパイシートの縁
を指で押さえる。最後にパイシートの上面
にも卵液を塗る。残り1個も同様に作る。
6　200℃のオーブンで10分、パイ生地に
焦げ目がつくまで焼く。温かいうちにいた
だく。

マッシュルームは小さく切らずに、
あえて存在感を残して大きく切っ
てくださいね。きれいにふくらん
だパイを割る瞬間も楽しく、中か
らはカチョカヴァロがとろ〜り！

# タルト・タルティフレット

**材料**（直径 20cm の底が抜けるタルト型 1 台分）
★ ルブロション（5mm 幅に切る） 150g
じゃがいも 2 個
玉ねぎ（薄切り） 1 個分
ベーコン（細切り） 60g
オリーブオイル 小さじ 2
生クリーム 30ml
卵 1 個

[ タルト生地 ]
薄力粉 200g
塩 少々
バター（食塩不使用） 120g
⇒1cm 角に切って冷蔵庫で冷やす
卵黄（溶きほぐす） 2 個分
冷水 大さじ 2

**下準備**
・じゃがいもはよく洗って芽を除き、皮つ
　きのまま水からゆでる。湯をきり皮をむ
　いて 8mm 幅の輪切りにする。
・ボウルに卵を割り入れ、水小さじ 1 を加
　えて溶きほぐし、卵液を作る。

**1** タルト生地を作る。薄力粉は塩と合わ
せてふるい、卵黄は分量の冷水を加えて混
ぜる。ボウルにバターとふるった薄力粉を
入れ、バターと粉がそぼろ状になるよう指
先で手早くすり混ぜる。冷水と混ぜた卵黄
を 2 〜 3 回に分けて加え、表面がなめら

かになるまでこねて 1 つにまとめ、ラップ
で包んで冷蔵庫で 1 時間以上休ませる。
**2** **1** を冷蔵庫から出し、ラップ（または
オーブンシート）2 枚に生地をはさみ、麺
棒で厚さ 3mm、型よりひと回り大きく伸
ばして型の内側に敷き込む。型からはみ出
た生地は切り落とし、生地の底にフォーク
でところどころ穴をあけ、ラップをかけて
冷蔵庫で 30 分休ませる。
⇒ここでオーブンを 180℃に予熱する
**3** **2** のラップをはずしてオーブンシート
をかぶせ、生地がふくらまないようタル
トストーン（または乾燥大豆）をのせて
180℃のオーブンで 15 分焼く。オーブン
から出し、オーブンシートごとタルトス
トーンをはずし、型ごとケーキクーラーに
のせて冷ます。生地の内側に刷毛で卵液を
塗り、180℃のオーブンでさらに 15 分焼く。
**4** タルトのフィリングを作る。フライパ
ンにオリーブオイルを熱し、玉ねぎとベー
コンを入れて弱火で色が変わるまで、焦が
さないように混ぜながら 20 分炒め、バッ
トに広げて粗熱をとる。
⇒ここでオーブンを 250℃に予熱する
**5** **3** にじゃがいも、**4** の順に敷き詰め
(**a**)、生クリームを回しかけ、チーズを並
べて (**b**)、250℃のオーブンで 6 〜 9 分焼く。
型ごとケーキクーラーにのせて冷まし、型
からはずして器に盛る。

a b

タルティフレットは「ルブロショ
ン」というウォッシュタイプの
チーズを使う、フランス・サヴォ
ワ地方の郷土料理。さっくりとし
たタルト生地にのせてみました。
ぜひ焼きたて熱々のうちに食べて
ください。

チーズと玉ねぎは相性がとてもいいのです。代表的な料理がオニオングラタンスープ！ こちらはもっと簡単に作れるポタージュタイプ。焦げたチーズの部分がたまらないですよね。

# 新玉ねぎとグリュイエールのグラタンポタージュ

**材料**（約300mℓ 容量の耐熱容器2個分）
★グリュイエール（すりおろす） 160g
新玉ねぎ（薄切り） 2個分
水 350mℓ
固形ブイヨン 1個
ローリエ 1枚
塩、黒粒こしょう 各少々
バゲット（1.5cm幅に切る） 2枚

**1** 鍋に玉ねぎ、分量の水、固形ブイヨン、ローリエを入れて中火にかけ、沸騰したら弱火にし、20分煮込んで火を止める。ローリエを取り出し、粗熱をとる。
⇒ここでオーブンを250℃に予熱する

**2** 1をハンドブレンダー（またはミキサー）で攪拌して、塩をふり、黒こしょうをひいて味をととのえる。

**3** 2を耐熱容器に均等に注ぎ入れ、バゲットとチーズを等分にのせ、250℃のオーブンで15分焼く。

いろいろなチーズでできたグ
ジェールがありますが、こちら
はほんのりブルーチーズ風味の
大人味、お酒のつまみになるグ
ジェールです。青カビタイプの
チーズならどれもおすすめです。

# ダナブルーのグジェール

**材料**（3〜4人分）
★ ダナブルー（細かいみじん切り） 30g
★ グリュイエール（すりおろす） 20g
薄力粉　70g
バター（食塩不使用）　40g
水　130mℓ
卵　2個

**下準備**
・口径1cmの丸口金をつけた絞り袋を用
　意する。
・薄力粉はふるい、卵は溶きほぐす。
・天板にオーブンシートを敷く。

**1**　鍋にバターと分量の水を入れて中火に
かける。沸騰直前に火を弱め、薄力粉を一
度に入れる。木べらで絶えずかき混ぜ、ひ
とまとまりになって鍋底に薄く膜が張るよ
うになったら火を止める。

**2**　**1**に溶き卵を3回に分けて入れ、ひと
まとまりになるまでよく混ぜ、2種類の
チーズを入れてつぶすようにして混ぜる。
⇒チーズの粒が完全になくならなくてもよい。ここで
オーブンを200℃に予熱する

**3**　**2**を絞り袋に入れ、天板に間隔をあけ
て直径3cmほどに絞り出し、水をつけた
指先で先端を丸くならす。

**4**　200℃のオーブンで25分焼く。
⇒生地がしぼんでしまうので、オーブンは途中で絶
対に開けないこと

# ベリーのシカゴピザ風

**材料**（直径 15cm の底が抜ける丸型 1 台分）
ブラックベリー、ラズベリー　各 80g
⇒または冷凍ミックスベリー 160g
★シュレッドチーズ　150g
★グリュイエール
　（またはエメンタール）　50g
★パルミジャーノ・レッジャーノ
　（すりおろす）　大さじ 2
★モッツァレラ　1 個
コーンスターチ　大さじ 1
牛乳　200ml
ナツメグ（パウダー）　少々

［ピザ生地］
強力粉　120g
薄力粉　50g
砂糖　小さじ 1
塩　小さじ 1
ドライイースト　3g
溶き卵　1 個分
牛乳　50ml
オリーブオイル　大さじ 1

**下準備**
・グリュイエールは 1cm 角に切る。
・モッツァレラは 2cm くらいにちぎる。

**1**　ピザ生地を作る。ボウルに強力粉、薄力粉、砂糖、塩、ドライイーストを入れて手で混ぜ合わせ、溶き卵、牛乳を加えてひとまとまりになるまで混ぜ合わせる。打ち粉（薄力粉・分量外）をした台にのせ、5分ほどたたきつけるようにしてよくこねる。オリーブオイルを少しずつ加えながらさらにこね、表面がなめらかになったら 1 つにまとめて、内側に薄くオリーブオイル（分量外）を塗ったボウルに入れてラップをかけ、室温で 1 時間ほど発酵させる。
⇒室温が低い場合は、約 50℃の湯煎に 1 時間ほどかけるか、オーブンの発酵モードを使用する。生地は倍以上にふくらむ

**2**　チーズソースを作る。シュレッドチーズとグリュイエールをボウルに入れ、コーンスターチを全体にまぶす。

**3**　鍋に牛乳を入れて弱火にかけ、鍋の縁がふつふつしたら **2**、ナツメグを加えてなめらかになるまでよく混ぜる。
⇒ここでオーブンを 200℃に予熱する

**4**　**1** をこぶしで軽くつぶしてガス抜きし、打ち粉（薄力粉・分量外）をした台に取り出して麺棒で直径約 25cm の円形に伸ばす。型の内側に敷き込み、ベリー類を入れ（**a**）、**2** を注ぎ、モッツァレラを散らしてパルミジャーノを表面にふる。
⇒冷凍ミックスベリーを使う場合は凍ったまま入れる

**5**　200℃のオーブンで 25 〜 30 分焼く。そのままオーブンの庫内に 5 分ほどおいて取り出し、型からはずして器に盛る。

**a**

たっぷりあふれるチーズの迫力！
ベリーの酸味はチーズに非常に
よく合います。ドキドキしながら
ナイフを入れる瞬間も楽しい！
誕生パーティーにもおすすめです。
ぜひご家族で楽しんで。

# 金柑と玉ねぎ、2種類の丸ごと
# カマンベールアンクルート

きんかん

**材料**（各作りやすい分量）
[ 金柑のカマンベールアンクルート ]
★カマンベール　1個
金柑　6個
はちみつ　大さじ2
冷凍パイシート（市販）　1枚
卵　1個
水　小さじ1

[ 玉ねぎのカマンベールアンクルート ]
★カマンベール　1個
玉ねぎ　1/2個
バター（食塩不使用）　10g
はちみつ　大さじ1
バルサミコ　大さじ1
塩　ひとつまみ
冷凍パイシート（市販）　1枚
卵　1個
水　小さじ1

**下準備**
・パイシートは作業をする1時間前に冷蔵
　庫に移して解凍する。
・金柑は横に2〜3mm幅の輪切りにして
　種を取る。フライパンに金柑とはちみつ
　を入れ、弱火で5分ほど煮る。金柑にと
　ろみがついたら火を止め、バットに広げ
　て冷ます。
・玉ねぎは薄切りにする。フライパンにバ
　ターと玉ねぎを入れて弱火で焦がさない
　ように15分炒め、玉ねぎの色が変わっ
　たら、はちみつ、バルサミコ、塩を入れ
　てさらに5分炒める。バットに広げて冷
　ます。

（2種共通）
**1**　冷蔵庫からパイシートを出し、18×
18cmくらいの正方形になるよう、麺棒で
形を整えながら伸ばす。
⇒大きさが足りなければパイシート（分量外）を適宜
継ぎ足し、継ぎ足すところに水をつけて、麺棒で平
らにならす
**2**　**1**の中央に金柑（または玉ねぎ）を直
径10cmくらいに丸く広げ、その上にチー
ズをおく。パイシートの縁に水を塗り、破
れないよう注意しながらふんわりと包む。
途中でチーズが出てこないよう包み終わり
をしっかりと水をつけた指で閉じ、ひっく
り返して閉じ口を下にする。ラップをして
冷蔵庫で15分休ませる。
**3**　ボウルに卵と分量の水を入れてよく溶
きほぐす。
⇒ここでオーブンを200℃に予熱する
**4**　**2**を冷蔵庫から出し、表面に**3**を刷毛
で塗り、ナイフを軽く沿わせて好きな模様
をつける。オーブンシートを敷いた天板の
上に並べ、200℃のオーブンで35分焼く。
**5**　そのままオーブンの庫内に5分ほどお
き、取り出して器に盛る。

アンクルートとは〝パイ包み〟の
意味。サクッとしたパイ生地、中
からとろけるカマンベール。甘
酸っぱい金柑にうまみの玉ねぎ、
2種類のレシピを用意しました。
熱々のうちにいただきましょう。

相性のとてもよい青魚とオレンジには、意外にもちょっとクセのあるウォッシュタイプのマンステールがうまく調和します。

# マンステールとオイルサーディンと
# オレンジのキッシュ

**材料** (直径 10 ×高さ 5cm のセルクル 2 台分)

**A** | ★ マンステール (2〜3cm 幅に切る)
　　　 80g
　　　 オイルサーディン　6尾
　　　 オレンジ (果肉を取り出す)　½ 個
　　　 じゃがいも　大 1 個

[ アパレイユ ]
卵　2個
牛乳　150ml
ナツメグ (パウダー)　少々
塩、黒粒こしょう (粗くひく)　各少々

[ パート・ブリゼ ]
**B** | 薄力粉　150g
　　　 塩　少々
　　　 バター (食塩不使用)　70g
　　　 ⇒1cm 角に切り、冷凍庫で冷やす
卵 (S サイズ)　2個

**下準備**
[ 前日 ]
① パート・ブリゼを作る。薄力粉と塩は
合わせてふるう。卵 1 個は溶きほぐす (残
りの卵 1 個は翌日に使用する)。
② ボウルに **B** を入れ、バターと粉がそぼ
ろ状になるよう指先で手早くすり混ぜる。
①の溶き卵、水小さじ 1 を加え、こねない
ようにカードで 1 つにまとめ、ラップで包
んで冷蔵庫でひと晩休ませる。

[ 当日 ]
・ボウルにパート・ブリゼの残りの卵を割
　り入れ、水小さじ 1 を加えてときほぐし、
　卵液を作る。
・じゃがいもはよく洗って芽を除き、皮つ
　きのまま水からゆでる。湯をきり皮をむ
　いて 5mm 幅の輪切りにする。

**1** パート・ブリゼを冷蔵庫から出し、打
ち粉 (分量外) をした台にのせてカード
で 2 等分して丸める。それぞれ麺棒で約
3mm 厚さ、型の高さ分まで加味して生地
を伸ばす。
**2** オーブンシートを敷いた天板の上に型
を置き、型の内側に **1** を敷き込む。型か
らはみ出た生地は切り落とし、生地の底に
フォークでところどころ穴をあける。
⇒ここでオーブンを 170℃に予熱する
**3** **2** にオーブンシートをかぶせ、生地が
ふくらまないようタルトストーン (または
乾燥大豆) をのせて 170℃のオーブンで
25 分焼く。オーブンから出し、オーブン
シートごとタルトストーンをはずし、型ご
とケーキクーラーにのせて冷ます。生地の
内側に刷毛で卵液を塗り、170℃のオーブ
ンでさらに 10 分焼いて取り出す。
**4** アパレイユを作る。ボウルに卵を割り
入れ、残りの材料をすべて入れ、泡立て器
でよく混ぜる。
⇒ここでオーブンを 160℃に予熱する
**5** **3** に **A** を等分に入れ、タイムの葉 2〜
3 枚 (分量外) を散らし、**4** を静かに注ぐ。
160℃のオーブンで 30 分、温度を 170℃
に上げて 5 分焼く。
**6** 型ごとケーキクーラーにのせて冷まし、
型からはずして器に盛る。

**memo**
・タレッジョやルブロション、カマンベール、ブリー
　でもおいしくできます。

# イエトオストのカルダモンロール
## バニラカルダモンのチーズクリームがけ

**材料** (約 15 × 15 cm の耐熱容器 1 台・9 個分)
★イエトオスト　100g
強力粉　300g
A｜バター（食塩不使用）　50g
　｜三温糖（またはきび砂糖）　40g
　｜塩　小さじ 1
牛乳　80mℓ
卵　1 個
ドライイースト　6g
きび砂糖（イースト用）　少々
ぬるま湯（45℃くらい）　60mℓ

[ フィリング ]
カルダモン（パウダー）　大さじ 2
グラニュー糖　大さじ 2
くるみ（みじん切り）　40g
★バニラカルダモンのチーズクリーム
　（p.86 参照）　全量

**下準備**
・イエトオストはピーラーで 2mm 厚さに
　削る。
・卵は室温に戻してよく溶きほぐす。
・バターは室温に戻す。
・カルダモンとグラニュー糖を合わせて混
　ぜ、カルダモンシュガーを作る。
・耐熱容器にバターを薄く（分量外）塗る。

チーズクリームをのせずにそのま
ま食べてもおいしい。イエトオス
トのチーズがとろけて、キャラメ
ルソースのようです。

1　小さめのボウルにドライイーストと砂
糖、分量のぬるま湯を入れて軽く混ぜ、10
分おく。
2　ボウルに A を入れて泡立て器でよくす
り混ぜる。溶き卵を少しずつ加えてさらに
よく混ぜる。強力粉を一気に加えてカード
でざっと混ぜ合わせ、牛乳、1 を加えて全
体をよく混ぜ、1 つにまとめる。
3　打ち粉（分量外）をした台に 2 をのせ、
たたきつけながら 5 分ほどよくこねる。表
面がなめらかになったらひとまとめにし、
サラダ油少々（分量外）を塗ったボウルに
入れてラップをかけ、室温で 1 時間ほど発
酵させる。
⇒室温が低い場合は、約 50℃の湯煎に 1 時間ほどか
けるか、オーブンの発酵モードを使用する。生地は
倍以上にふくらむ
4　3 をこぶしで軽くつぶしてガス抜きし、
打ち粉（分量外）をした台に取り出して麺
棒で 20 × 30 ×約 1.3cm 厚さに伸ばし、
牛乳少々（分量外）を全体に刷毛で塗る。
5　30cm の辺を手前にしておき、生地の
向こう側 3cm を残して手前から全体にカ
ルダモンシュガーとくるみをふり、その上
にイエトオストを並べる。生地を手前から
くるくると巻き、巻き終わりを下にして
長さを 3 等分に切り、さらにそれぞれを 3
等分に切る。
6　5 の断面を上にして耐熱容器に並べ、
ラップをかけて室温で 40 分ほど二次発酵
させる。
⇒耐熱容器がなければ天板にアルミホイルを敷き、
バター（分量外）を薄く塗った上にくっつかないよう
間隔をあけて並べ、ラップで覆って二次発酵させる
⇒ここでオーブンを 200℃に予熱する
7　ラップをはずして天板にのせ、200℃
のオーブンで 18 〜 20 分焼く。粗熱がと
れたらチーズクリームをパレットナイフで
1 個ずつ、中心から円を描くようにのせる。

ブラウンチーズとも呼ばれる北欧
のチーズ「イエトオスト」。味は
キャラメルのような不思議なチー
ズです。個性的で料理に使うのは
少し難しいですが、焼きたてパン
との相性は最高。トロッと溶けて
まるでクリームのよう。ぜひ熱々
のうちに。冷めたら温め直してお
召し上がりください。

# 燻製レアチーズケーキ

**材料**（直径 12cm の底が抜ける丸型 1 台分）
燻製チップ　大さじ 1

[ フィリング ]
★ クリームチーズ（2cm 角に切る）　200g
⇒燻製にする場合、溶けにくい個包装タイプがおすすめ。カットは 1 個につき 4 等分で OK

きび砂糖　45g
バルサミコ　小さじ 1
生クリーム　150mℓ
板ゼラチン　6.5g

[ ボトム ]
クッキー（またはビスケット・市販）
　40g
バター（食塩不使用）　20g
くるみ（粗みじん切り）　15g

**下準備**
・板ゼラチンは 30mℓ の冷水でふやかす。
・深めのふたつきのフライパン（または中華鍋）と、フライパンの直径よりひと回り小さい網を用意する。

1　フライパンにアルミホイルを敷き、燻製チップを広げる。まわりを囲うようにアルミホイルを棒状にしたものでぐるっと土手を作り、その上に網をのせる（a）。

2　網よりひと回り小さいアルミホイルを敷き、チーズをのせてフライパンを強火にかける。チップから煙が出たらふたをして、中火で 8 分燻す。火を止めそのまま 15 分放置する。
⇒燻製にすると水分が抜けて重さは約 160 g になり、チーズの色が茶色になって香りがつく

3　ボトムを作る。バターを耐熱容器に入れて電子レンジで 20 秒加熱し、溶かす。ポリ袋にクッキーを入れて口を閉じ、麺棒で細かく砕く。くるみ、溶かしバターを加えて再度袋の口を閉じ、手でよくもみ込む。全体にバターがなじんだら型の底に敷き詰め、上からコップの底などで押しつけてラップをかけ、冷蔵庫に入れる。

4　フィリングを作る。ボウルに 2 の燻製チーズを裏ごしして入れ、砂糖、バルサミコを加え、泡立て器でよくすり混ぜる。

5　鍋に生クリームを入れて弱火にかけ、ふつふつしてきたらふやかした板ゼラチンを加え、ゼラチンが溶けたらすぐに火を止め粗熱をとる。

6　4 に 5 を混ぜながら少しずつ加え、よく混ぜ合わせる。3 に流し込み、冷蔵庫で 2 時間以上冷やす。

a

燻した香りがふわっと香る不思議な大人のレアチーズケーキ。コーヒーにも紅茶にも、甘口のお酒にも辛口のお酒にもよく合います。

# リコッタチーズのカッサータ

材料(8×8×高さ6cmのハーフパウンド型1台分)
★リコッタチーズ　150g
生クリーム　100mℓ
くるみ　30g
ピスタチオ（殻をむく）　20g
オレンジピール（市販）　40g
はちみつ　70g

**下準備**
・くるみとピスタチオは150℃に予熱をし
　たオーブンで10分ローストし、粗熱が
　とれたら粗く刻む。
・オレンジピールは5mm角に刻む。

**1**　ボウルに生クリームを入れて8分立て
（角が立つ程度）にする。
**2**　別のボウルにチーズ、ナッツ類、オレ
ンジピール、はちみつを加えてゴムべらで
混ぜ合わせ、**1**を3回に分けて入れ、その
つどさっくりと混ぜ合わせる。
**3**　型の内側に霧吹きで水を少量吹きつけ、
ラップを敷き、**2**の生地を流し込み、ゴム
べらで表面を平らにならす。
**4**　**3**の型をぬれ布巾を敷いた台に2〜3
回、7cmくらいの高さから落とし、空気
を抜く。表面にぴったりとラップをし、そ
のまま冷凍庫で2時間以上冷やし固める。
**5**　ぬるま湯につけて絞った布巾で**4**のま
わりを少し温め、中身を取り出す。好みの
厚さに切って器に盛る。

リコッタチーズを使った代表的
なイタリアのデザート、カッサー
タ。はちみつとナッツの代わりに、
p.109の燻製ナッツのはちみつ漬
けを使えば、香ばしい燻製風味の
カッサータになります。ナッツの
はちみつ漬けを使うときは、はち
みつを70g、ナッツを60gほど
使用してくださいね。

# ミントのチーズケーキ〝フラオ〟

**材料**（直径 20cm の底が抜けるパイ型 1 台分）
[ フィリング ]
★ カッテージチーズ　170g
★ クリームチーズ　40g
ミント　7g
きび砂糖　60g
溶き卵　2 個分

[ ボトム ]
薄力粉　100g
アーモンドパウダー　50g
バター（食塩不使用）　50g
卵　1 個
きび砂糖　40g
アニスシード　小さじ½
レモンの皮（すりおろす）　½ 個

粉砂糖（仕上げ用）　少々

**下準備**
・クリームチーズとバターは室温に戻し、やわらかくする。
・ミントは葉をはずし、飾り用に 20 枚ほど取り分け、フィリング用は細かく刻む。

**1**　ボトムを作る。ボウルにすべての材料を加えてゴムべらでよく混ぜ、手で 1 つにまとめてラップで包み、冷蔵庫で 15 分ほど休ませる。
**2**　フィリングを作る。ボウルにカッテージチーズとクリームチーズ、砂糖を入れて、やわらかくなるまで泡立て器でよくすり混ぜる。溶き卵を少しずつ加えながら混ぜ、細かく刻んだミントを加えてゴムべらでさっくりと混ぜ合わせる。
**3**　**1** を冷蔵庫から出し、打ち粉（分量外）をした台に置き、麺棒で厚さ 3mm、型よりひと回り大きく伸ばして型の内側に敷き込む。型からはみ出た生地は切り落とし、生地の底にフォークでところどころ穴をあける。
⇒ここでオーブンを 170℃に予熱する
**4**　**3** に **2** を流し込み、平らにならして 170℃のオーブンで 50 分焼く。型ごとケーキクーラーにのせて冷まし、型からはずして器に盛る。粉砂糖をかけて飾り用のミントを散らす。

スペイン、イビサ島のチーズケーキ。とても簡単で、さっぱりした大人なケーキです。アニスシードはインターネットで購入できるので、ぜひ使用して本格的に味わっていただきたいです。余ってもボトムのレシピだけでも、とてもおいしいクッキーができますから。

## チーズサブレの詰め合わせ

クリームチーズ、ダナブルー、パルミジャーノの3種を使ったチーズサブレ。詰め合わせにしてプレゼントにしても喜ばれますよ。ちなみに甘さは控えめです。

## a クリームチーズとバニラのサブレ

**材料**（作りやすい分量）

A | ★クリームチーズ（室温に戻す） 60g
バター（食塩不使用・室温に戻す）
　60g
バニラビーンズ（縦に切り目を入れて
　さやから種を取り出す） 4〜5cm
きび砂糖 30g
卵黄（溶きほぐす） 1個分
薄力粉（ふるう） 100g
グラニュー糖 適量

**1** ボウルにAを入れ、白っぽくなるまで泡立て器ですり混ぜ、卵黄を少しずつ加えてさらによく混ぜる。薄力粉を加え、ゴムべらでさっくりと混ぜ合わせる。直径2.5cmの棒状にまとめ、ラップで包んで冷蔵庫で1時間休ませる。

**2** 冷蔵庫から出してラップを広げ、表面に刷毛で薄く牛乳（分量外）を塗ってグラニュー糖をまぶし、再度ラップで包んで冷凍庫に30分ほどおく。

**3** 2を打ち粉（分量外）をした台に取り出し、1cm厚さの輪切りにする。オーブンシートを敷いた天板に並べ、170℃に予熱したオーブンで10〜12分焼く。

## b ダナブルーとくるみのサブレ

**材料**（作りやすい分量）

B | ★ダナブルー（5mm角に切る） 80g
くるみ（粗みじん切り） 30g
C | 薄力粉 100g
ベーキングパウダー 小さじ¼
D | バター（食塩不使用・室温に戻す）
　60g
きび砂糖 25g
卵黄（溶きほぐす） 1個分

ボウルにDを入れ、泡立て器でよくすり混ぜ、卵黄を少しずつ加えてさらにすり混ぜる。B、合わせてふるったCを加え、ゴムべらでさっくりと混ぜて直径2.5cmの棒状にまとめ、ラップで包んで冷蔵庫で1時間休ませる。以下、上記作り方3と同様に作る。
⇒生地を麺棒で1cm厚さに伸ばし、好みの型で抜いてもよい

## c パルミジャーノと黒こしょうのサブレ

**材料**（作りやすい分量）

E | ★パルミジャーノ・レッジャーノ
　（すりおろす） 60g
牛乳 50mℓ
塩 ひとつまみ
薄力粉（ふるう） 100g
F | バター（食塩不使用・室温に戻す）
　60g
きび砂糖 20g
黒粒こしょう 適量

**1** ボウルにFを入れ、泡立て器でよくすり混ぜ、Eを加えて黒こしょうをひき、よく混ぜる。薄力粉を加え、ゴムべらでさっくりと混ぜて1つにまとめてラップで包み、冷蔵庫で1時間以上休ませる。

**2** 冷蔵庫から出してラップを広げ、少しこねてやわらかくして星口金をセットした絞り袋に入れ、オーブンシートを敷いた天板に絞り出す。170℃に予熱したオーブンで10〜12分焼く。

ガーゼを開くと中から現れるのは、ふわふわ食感の極上デザート。多めに作ってホームパーティーに持っていけば喜ばれます。苺の代わりにラズベリーやブラックベリーなど、好みのベリーで試してみてください。

## 苺(いちご)とバニラのフォンテーヌブロー

**材料**（3〜4人分）
苺　150g
バニラビーンズ　4〜5cm
きび砂糖　大さじ2
生クリーム　100mℓ
★フロマージュ・ブラン　300g

**下準備**
・ガーゼ（約30×30cm）を2枚用意する。

**1**　バニラビーンズは縦に切り込みを入れ、ナイフの先でさやから種をしごき出す。

**2**　苺はヘタを取り、横1cm厚さに切ってボウルに入れ、**1**をさやごと入れて軽く混ぜる。砂糖をふって10分ほどおき、バニラのさやを取り除く。

**3**　別のボウルに生クリームを入れて6分立てにし、チーズを加えてゴムべらでさっくりと切るように混ぜる。**2**を果汁ごと加えてさらにさっくりと混ぜ合わせる。
⇒苺の食感がなくなるので、混ぜすぎないよう注意

**4**　ボウルを当てたざるにガーゼ2枚を重ねて敷き、**3**をあけて、ガーゼの四隅をねじって巾着の要領で縛る。ボウルごと冷蔵庫でひと晩冷やす。

**5**　冷蔵庫から出し、ガーゼを開いて皿に盛る。

少し料理テイストなチーズケーキは、煮詰めたバルサミコが深いコクを与えてくれています。作ってから冷蔵庫でひと晩以上、もっと言うと2〜3日おくほうが断然おいしい。玉ねぎと白ワインのジャム（p.107参照）を添えてもいいですね。

# バルサミコとフロマージュ・ブランのケーキ

**材料**（18cmのパウンド型1台分）
★フロマージュ・ブラン　280g
バルサミコ　100mℓ
生クリーム　100mℓ
きび砂糖　50g
卵（溶きほぐす）　1個
薄力粉（ふるう）　大さじ2

**下準備**
・小鍋にバルサミコを入れて中火にかけ、沸騰したら火を弱め、ときどきかき混ぜてふつふつとした状態を保ちながら、半量（約50mℓ）まで煮詰めて冷ます。
・型にオーブンシートを敷く。
・オーブンは170℃に予熱する。

**1**　ボウルに生クリーム、砂糖を入れ、6分立てにする。チーズ、バルサミコを加えてゴムべらで混ぜ、溶き卵を少しずつ加えて混ぜる。薄力粉を加え、ゴムべらで切るようにさっくりと混ぜ合わせる。
**2**　型に流し、170℃のオーブンで45〜50分焼く。型ごとケーキクーラーにのせて冷まし、型からはずしてラップで包み、冷蔵庫でひと晩寝かせる。食べやすく切って器に盛る。

# チーズにひと手間

ほんのひと手間加えるだけで、がらっと味わいが変わるのもチーズの奥深いところ。
漬けるだけ、混ぜるだけ、はさむだけ。日本で手に入りやすい
身近なチーズをいつもと違った味わいで楽しみましょう。

## PARMIGIANO REGGIANO
〜パルミジャーノ・レッジャーノにひと手間〜

### パルミジャーノ
### エスプレッソ

**材料**（3〜4人分）
★パルミジャーノ・レッジャーノ
　（ひと口大に切る）　100g
エスプレッソ　150mℓ
⇒またはインスタントコーヒー大さじ4を
湯150mℓで溶いたもの
きび砂糖、バルサミコ　各大さじ2

**1**　鍋にエスプレッソを入れて火にかけ、
ふつふつしてきたら、砂糖、バルサミコを
入れてよくかき混ぜ、火を止める。
**2**　粗熱がとれたら清潔なふたつき容器に
注ぎ、チーズを浸して冷蔵庫にひと晩以上
おく。

**memo**
・2日目以降がおいしく、冷蔵庫で5日ほど保存可能。
・無糖のエスプレッソよりも甘くしたほうがおいしく
　なります。

チーズのまわりにローストした
コーヒー豆をまぶして熟成させた
チーズも市販されています。そ
れほどコーヒーとチーズも好相性。
止まらないおいしさ！　はちみつ
をつけてもいいですね。

## PARMIGIANO REGGIANO
~パルミジャーノ・レッジャーノにひと手間~

# パルミジャーノ
# スプレッド

**材料**（作りやすい分量）
★ パルミジャーノ・レッジャーノ
　（すりおろす）　50g
バター　10g
薄力粉（ふるう）　15g
牛乳　130mℓ
塩　ひとつまみ

**下準備**
・バターは耐熱容器に入れてふんわりと
　ラップをかけ、電子レンジで 30 ～ 40 秒
　加熱して溶かす。

**1**　ボウルにバターと薄力粉を入れて泡立
て器でよく混ぜる。
**2**　小鍋に牛乳を入れて火にかけ、ふつふ
つしてきたら、1 に少しずつ加えながら泡
立て器で混ぜ合わせる。
**3**　2 を鍋に戻し、弱めの中火にかけ、木
べらで混ぜる。少しとろみがついたらチー
ズを少しずつ加えてこねるようにして混ぜ、
塩を加えて混ぜ合わせる。チーズが完全に
溶け、なめらかになったら火を止める。
⇒粗熱がとれると自然に固まる

**memo**
・冷蔵庫で 4 ～ 5 日保存可能。

商品化されたものを見かけますが、
手作りできます。このままパンに
のせてグラタン風のトーストにし
ても、ゆでたてのじゃがいもにつ
けても。プレーンな味わいなので、
思いついたものにいろいろ試して
みるのが楽しくなりますよ。

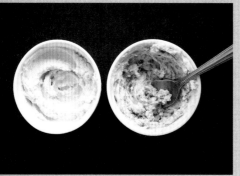

# 3種のチーズクリーム
プレーン／バニラカルダモン／無花果

材料（各作りやすい分量）
[プレーン]（上写真）
★クリームチーズ　80g
生クリーム　120ml
きび砂糖　大さじ1

[バニラカルダモン]（下写真左）
★クリームチーズ　80g
生クリーム　100ml
きび砂糖　大さじ1
カルダモン（パウダー）　小さじ1
バニラビーンズ
　（縦に切り目を入れてさやから
　種を取り出す）4〜5cm

[無花果]（下写真右）
★クリームチーズ　60g
生クリーム　50ml
ドライ無花果（細かく刻む）5個
くるみ（粗みじん切り）5個分
はちみつ　小さじ2

（3種共通）
1　クリームチーズは室温に戻してやわら
かくする。
2　1と残りの材料をボウルに入れ、よく
混ぜ合わせる。

memo
・それぞれ冷蔵庫で3〜4日保存可能。

クレーム・シャンティイより濃厚
で、バタークリームよりもさっぱ
りとしたチーズ風味のクリーム。
スコーンに合わせたり、ケーキに
使ったりと用途はいろいろ。

〜カマンベールにひと手間〜

# アンチョビカマンベール ディル風味

**材料**（3〜4人分）
アンチョビフィレ ·3切れ
★ カマンベール（横に2等分する） 1個
★ クリームチーズ（室温に戻す） 40g
ディル（葉をみじん切り） 2〜3枝分

**1** アンチョビはキッチンペーパーで油を軽くふき取り、包丁でみじん切りにするか、フォークの先で細かくつぶす。
**2** クリームチーズはボウルに入れてゴムべらでよく練り、やわらかくする。
**3** 2に1とディルを加えてよく混ぜ、カマンベールの片方の切り口に均等にのせて、もう片方ではさむ。ラップに包んで1時間ほど冷蔵庫で休ませ、味をなじませる。

いつものカマンベールにハーブでひと手間。白ワインによく合う特別なチーズになります。

ROQUEFORT

〜ロックフォールにひと手間〜

# ロックフォールの ソーテルヌ漬け

**材料**（2人分）
★ ロックフォール（3mm厚さの薄切り）
　60g
ソーテルヌワイン 適量

**1** 清潔なふたつき容器にチーズを入れ、ひたひたに浸かるまでワインを注ぐ。
**2** ふたをして冷蔵庫に入れ、ひと晩おく。

**memo**
・チーズは、青カビタイプであればなんでもOKです。
・2日目以降がもっともおいしく、冷蔵庫で5日ほど保存可能。

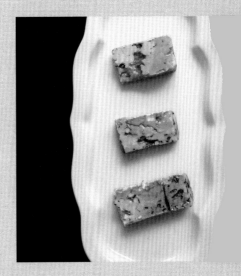

別々でもおいしい組み合わせが、漬け込んだらさらにおいしくなりました。甘口ワインに漬けた甘じょっぱい味がたまりません。

〜モッツァレラにひと手間〜

# ストラッチャテッラ

**材料**（出来上がり量約100g）
★モッツァレラ　100g
生クリーム　60㎖
塩　ひとつまみ

**1**　チーズの表面の水けをキッチンペーパーでふき取り、清潔な手で最初は1cmくらいにちぎり、さらに半分くらいの大きさに細かくちぎる。キッチンペーパーに包み、軽く水けを吸い取ってボウルに入れる。
⇒包丁で切るよりも、ていねいに手でちぎるほうがおいしいのでおすすめ
**2**　生クリーム、塩を加え、チーズにしみ込ませるように混ぜ合わせる。
**3**　清潔なふたつき容器に入れて冷蔵庫で冷やす。

**memo**
・冷えたら早めに食べてください。

*arrange*

## ストラッチャテッラの シンプルサラダ

ストラッチャテッラにオリーブオイルと塩各適量をふり、黒粒こしょう適量をひいて好みのハーブを添えれば、簡単なサラダに。バルサミコをかけてもおいしいです。

みんな大好き！ おいしいおいしいブッラータの中身のことを「ストラッチャテッラ」と言います。じつはモッツァレラで簡単に手作りできるのです！

# 2.

## チーズのために

そのままでも完璧なチーズをもっとおいしく、
楽しく食べるために生まれた、チーズに合わせるためのレシピ。
チーズのためのパン、チーズのためのクラッカー、
チーズのためのジャム。そう、すべてチーズのため。
さて、今日はどのチーズと合わせましょうか？

チーズのための甘いもの

# SWEETS
*for cheese*

オレンジピールの
パン・デピス

林檎と金柑のモスタルダ
りんご きんかん

# オレンジピールのパン・デピス

**材料**（18cm のパウンド型 1 台分）
オレンジピール（市販）　40g
強力粉　80g
ライ麦粉　80g
ベーキングパウダー　小さじ 1
塩　小さじ½
牛乳　40ml
ラム酒　大さじ 1½
はちみつ　100g
卵　1 個
きび砂糖　35g
A｜シナモン（パウダー）　5g
　｜ジンジャー（パウダー）　4g
　｜カルダモン（パウダー）　2g
　｜ナツメグ（パウダー）　1g
　｜クローブ（パウダー）　1g

**下準備**
・型にオリーブオイル少々（分量外）を薄
　く塗る。
⇒またはバター（食塩不使用）少々（分量外）を塗る

**1**　ボウルに強力粉、ライ麦粉、ベーキングパウダー、塩を入れて混ぜ合わせ、ふるう。
**2**　小鍋に牛乳、ラム酒、はちみつを入れて弱火にかけ、沸騰しないよう注意しながら混ぜ、はちみつが溶けたらすぐに火を止めて人肌まで冷ます。
**3**　別のボウルに卵を割りほぐし、砂糖を入れて泡立て器ですり混ぜる。**2** を少しずつ入れて、そのつどよく混ぜ合わせる。
**4**　**1** に **3**、**A**、オレンジピールを加え、粘りが出ないようゴムべらでさっくりと混ぜ合わせる。ラップをかけて冷蔵庫で 30 分休ませる。
⇒ここでオーブンを 170℃に予熱する
**5**　冷蔵庫から **4** を出して型に流し入れ、表面をへらでならす。170℃のオーブンで 20 分、温度を 150℃に下げて 25 分焼く。型ごとケーキクーラーにのせて冷まし、粗熱がとれたらすぐに型からはずす。
**6**　食べやすく切って器に盛り、好みのチーズと合わせる。

チーズによく合う焼き菓子で真っ先に思いつくのがこのパン・デピス。スパイスとはちみつを使ったフランスのお菓子です。どのようなチーズにもよく合いますが、あえてクセのあるウォッシュタイプや青カビタイプと合わせるのがおすすめですよ。
＊ p.90 では**マンステール**（ウォッシュタイプ）、**スティルトン**（青カビタイプ）を合わせています。

# 林檎と金柑のモスタルダ

**材料**（作りやすい分量）
林檎（皮をむいて 1cm 角に切る） 2 個
金柑（4 等分の輪切りにして種を除く）
　200g
きび砂糖　100g
レモン汁　1/4 個分
マスタードシード（ミルで粉末にする）
　大さじ 1 1/2
⇒または乳鉢でつぶす
マスタード（ペーストタイプ）　小さじ 2

**1**　ボウルに林檎と金柑を入れ、砂糖をまぶして 20 分ほどおく。
**2**　鍋に **1** とレモン汁を入れてごく弱火にかけ、ふたをしてときどき混ぜながら 20 分ほど煮込む。
⇒焦げないよう注意
**3**　ふたを取り、マスタードシード、マスタードを入れて混ぜながら、もったりととろみがつくまで 5 ～ 6 分煮る。熱いうちに清潔なふたつき容器に入れる。

**memo**
・冷蔵庫で 4 ～ 5 日保存可能。

*arrange*

**モスタルダ ＋ クリームチーズのスプレッド**
モスタルダを同量のクリームチーズに混ぜてスプレッドにしてもおいしくいただけます。パンやクラッカーにつけて楽しんで。

マスタード風味の辛くて甘いジャムのような、イタリアの保存食「モスタルダ」。これもまたチーズとの相性がよく、一緒に食されています。金柑と同量の洋梨や無花果などお好みの果物で、アレンジもできます。
＊ p.91 では **リコッタチーズ**（フレッシュタイプ）を合わせています。

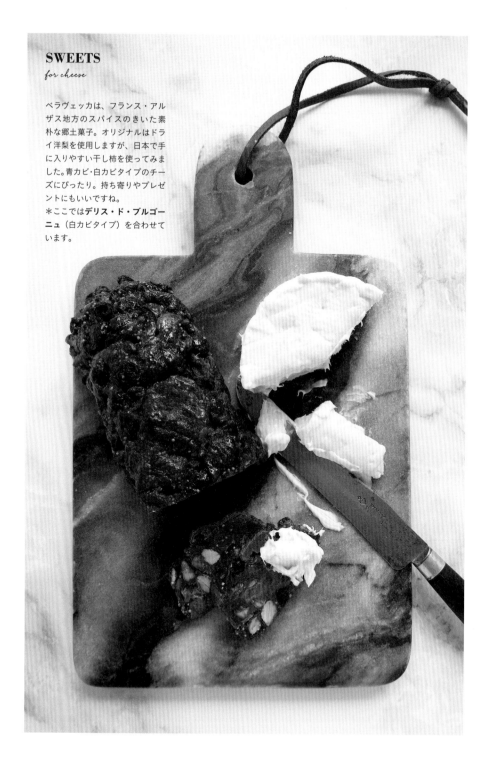

# SWEETS
*for cheese*

ベラヴェッカは、フランス・アル
ザス地方のスパイスのきいた素
朴な郷土菓子。オリジナルはドラ
イ洋梨を使用しますが、日本で手
に入りやすい干し柿を使ってみま
した。青カビ・白カビタイプのチー
ズにぴったり。持ち寄りやプレゼ
ントにもいいですね。
＊ここでは**デリス・ド・ブルゴー
ニュ**（白カビタイプ）を合わせて
います。

# 干し柿のベラヴェッカ

**材料**（20 × 10 × 高さ 4cm のかまぼこ形 2 本分）

**A** ┃ 強力粉　50g
　　┃ ドライイースト　1g
　　┃ 塩　小さじ⅓
　　┃ きび砂糖　小さじ 1
　　┃ 水　40mℓ

溶かしバター（食塩不使用）　10g
くるみ　60g
アーモンド（ホール）　60g
クローブ（パウダー）、ナツメグ（パウダー）、
　アニスシード（あれば）　各小さじ 1
黒粒こしょう（粗くひく）　少々

[ 漬け込みフルーツ ]
干し柿（縦 4 等分にして横 7mm 幅に切る）
　4 個
レーズン　100g
ドライクランベリー（半分に切る）　50g
ドライアプリコット（横 7mm 幅に切る）
　50g
ドライ無花果（縦 4 等分にして横 7mm 幅
　に切る）　100g
バニラビーンズ（縦に切り目を入れて
　さやから種を取り出す）　½ 本
ラム酒　100mℓ
ブランデー　300mℓ
八角　1 個

[ シロップ ]
グラニュー糖　40g
水　50mℓ

**下準備**
[ 前日まで ]
・漬け込みフルーツを作る。バニラビーン
　ズの種とさやとともに、すべての材料を
　清潔なふたつき容器に入れ、ひと晩以上
　漬け込む。バニラビーンズのさやと八角
　は翌日取り出す。

[ 当日 ]
・オーブンシートを敷いた天板にくるみと
　アーモンドを広げ、160℃に予熱したオー
　ブンで 10 分ローストする。一度取り出
　して全体を混ぜ、さらに 5 分ローストし
　て粗熱をとり、それぞれ半分に切る。

--------------------------------------------------------

**1**　生地を作る。大きめのボウルに **A** を入
れて泡立て器で混ぜ、溶かしバターを加
えてさらに混ぜる。手で 1 つにまとめて 5
分ほど、表面がなめらかになるまでボウル
の中でよくこねる。ラップをして室温で 1
時間ほど発酵させる。
⇒室温が低い場合は、約 50℃の湯煎に 50 分ほどか
けるか、オーブンの発酵モードを使用する

**2**　ボウルに水けをきった漬け込みフルー
ツ、ローストしたナッツ類、クローブ、ナ
ツメグ、あればアニスシード、黒こしょ
うを入れてよく混ぜ、**1** の生地を細かくち
ぎって入れ、手でこねるようによく混ぜ合
わせる。
⇒最初は混ざりづらいが、こねているうちに混ざっ
てくる

**3**　シロップを作る。小鍋に分量の水とグ
ラニュー糖を入れて弱めの中火にかける。
沸騰してグラニュー糖が溶けたらすぐに火
を止め、冷ます。
⇒ここでオーブンを 150℃に予熱する

**4**　**2** を 2 等分し、それぞれ 20 × 10 ×
高さ 4cm のかまぼこ形に成形する。オー
ブンシートを敷いた天板に並べ、150℃の
オーブンで 1 時間焼く。熱いうちに刷毛で
表面に **3** を塗ってつやを出す。

**memo**
・ラップで包み、ひと晩室温においてからいただくほ
　うがおいしいです。
・冷蔵庫で約 1 週間保存可能。

## SWEETS
*for cheese*

聞きなれない名前ですが、「パン・デ・イゴ」とはスペインの無花果とナッツのペーストのようなもの。イタリアにも「フィグログ」というものがありますが、ともにチーズのお供的な存在です。
＊ここでは**サント・モール**（シェーブル）を合わせています。

# パン・デ・イゴ

**材料**（作りやすい分量）
ドライ無花果　200g
アーモンド（ホール）　40g
A｜はちみつ　大さじ1
　｜シナモン（またはクローブ・
　｜　いずれもパウダー）　小さじ½
　｜ブランデー（あれば）　大さじ1〜2

**下準備**
・天板にオーブンシートを敷く。
・オーブンは160℃に予熱する。

**1**　天板にアーモンドを並べ、160℃のオーブンで10分ローストする。一度取り出して全体を混ぜ、さらに5分ローストして粗熱をとり、粗みじん切りにする。無花果は縦4等分に切る。
**2**　フードプロセッサーに**1**、**A**を入れて細かくなるまで攪拌する。
**3**　ラップを広げて**2**をあけて包み、直径約5cmの棒状に成形し、冷蔵庫で30分以上休ませる。食べるときに好みの厚さにスライスする。

**memo**
・シナモンの代わりに粗くひいた黒粒こしょうでも。いろいろなスパイスで楽しんで。
・冷蔵庫で約2週間保存可能。

単にメンブリージョとも言います。スペインの定番のチーズのお供。写真のように「ケソ・マンチェゴ」というチーズとよく合いますが、もちろんほかのチーズでも。秋口に花梨<sub>カリン</sub>が出回ったらぜひ作ってみてください。黄色の果肉が煮込む過程で美しい赤色に変わります。
＊薄く切った**ケソ・マンチェゴ**（セミハードタイプ）などにのせていただきます。

# ドゥルセ・デ・メンブリージョ

**材料**（作りやすい分量）
花梨　2個（約500g）
グラニュー糖　花梨と同量を用意する
レモン汁　4個分

1　花梨は表面の油分をよく洗い、皮つきのまま半分に切って芯を取り除き、2cm角に切る。鍋に入れてグラニュー糖をふり、15分ほどおく。
2　1にレモン汁、ひたひたの水を加えて中火にかけ、グラニュー糖が溶けたらごく弱火にする。表面が少しふつふつする程度の状態を保ち、ときどきかき混ぜながら煮込む。鮮やかな赤みを帯び、煮汁が1/2〜2/3程度に煮詰まったら火を止め、粗熱をとる。

3　触れられる程度に冷めたら、温かいうちにミキサーでペースト状になるまで攪拌する。バットなどに入れて冷蔵庫で5時間ほど冷やし固める。
⇒18cmのパウンド型に入れて固めてもOK

**memo**
・冷蔵庫で約1カ月保存可能。

多くのチーズは塩けがあるので甘いものともよく合います。スパイスや塩をほんの少しきかせたりして楽しんで。
＊ここでは**シャウルス**（白カビタイプ）を合わせています。

# アーモンドのヌガティーヌ

**材料**（作りやすい分量）
アーモンド（スライス）　40g
水あめ　15g
バター（食塩不使用）　20g
グラニュー糖　30g
水　小さじ2
カルダモン（パウダー・好みで）　少々
⇒または好みで粗塩

**下準備**
・天板にオーブンシートを敷く。
・オーブンは170℃に予熱する。

**1**　鍋にアーモンドとカルダモン以外のすべての材料を入れて中火にかけ、木べらでかき混ぜながらバターとグラニュー糖を溶かす。ふつふつと沸いて、泡がたくさん出てきたら火を止め、アーモンドを加えてよく混ぜ合わせる。
**2**　天板の上に**1**をあけ、好みでカルダモンをふって170℃のオーブンで10〜15分焼く。
⇒焼くと均一に広がるので広げなくてよい
**3**　取り出して天板にのせたまま、完全に冷めるまでおく。冷めたらオーブンシートからはずし、適当な大きさに割る。

**memo**
・乾燥剤を入れた密閉容器に入れ、約1週間保存可能。

食感も楽しいカカオ風味のはちみ
つ。フレッシュチーズにもよく合
いますが、おすすめはイエトオス
トとライ麦パンの組み合わせ！
＊ここでは**イエトオスト、マスカ
ルポーネ**（いずれもフレッシュタ
イプ）を合わせています。

# カカオハニー

**材料**（作りやすい分量）
カカオニブ　30g
はちみつ　　60g

1　フライパンにカカオニブを入れ、弱火
で混ぜながら焦げないように炒る。香りが
出てきたら火を止め、粗熱をとる。
2　清潔なふたつき容器に移してはちみつ
を注ぎ入れ、冷暗所で2〜3日漬け込む。

**memo**
・冷暗所で約2週間保存可能。

チーズのためのクラッカー

# CRACKER
*for cheese*

ポルチーニと生海苔、それぞれの
風味がふわっと鼻に抜けるクラッ
カー。フレッシュタイプのチーズ
によく合います。
＊ここでは**ブリヤ・サヴァラン・
フレ**（フレッシュタイプ）、**ラン
グル**（ウォッシュタイプ）を合わ
せています。

## ポルチーニと生海苔、2種類のクラッカー

**材料**（作りやすい分量）
[ ポルチーニのクラッカー ]
ポルチーニ（乾燥）　10g
⇒乾燥のままミルなどで粉末にする（または包丁で細かく刻む）
A｜薄力粉　100g
　｜ライ麦粉　50g
　｜ベーキングパウダー　小さじ½
　｜塩　ひとつまみ
バター（食塩不使用）　65g
冷水　50mℓ
塩（仕上げ用）　適量
⇒ゲランドの塩など

[ 生海苔のクラッカー ]
生海苔　30 g
A｜薄力粉　100g
　｜ライ麦粉　50g
　｜ベーキングパウダー　小さじ½
　｜塩　ひとつまみ
バター（食塩不使用）　65g
冷水　30mℓ
塩（仕上げ用）　適量
⇒ゲランドの塩など

**下準備**（2種共通）
・バターはさいの目に切って冷蔵庫で冷やす。
・天板にオーブンシートを敷く。

（2種共通）
**1**　ボウルにAとバターを入れ、カードでバターを切るように混ぜ合わせる。生地がそぼろ状になったらポルチーニ（または生海苔）を入れ、切るように混ぜる。様子を見ながら少しずつ分量の冷水（ポルチーニのクラッカーは50mℓ、生海苔のクラッカーは30mℓ）を加え、さっくりと混ぜ合わせる。手のひらで生地をぎゅっと握ったときに固まるくらいになったら、1つにまとめてラップで包み、冷蔵庫で1時間冷やす。
⇒ポルチーニの香りが飛んでしまうので、粉類を混ぜるときはこねないように気をつける
**2**　1を冷蔵庫から出し、室温に戻るまで打ち粉（薄力粉・分量外）をした台に置く。ラップをはずして麺棒で2〜3mm厚さに伸ばし、2×5cmの長方形に切ってフォークでところどころ穴をあけ、仕上げ用の塩を軽くふって天板に並べる。
⇒生地を成形しているときにオーブンを180℃に予熱する
**3**　180℃のオーブンで12分焼いて、ケーキクーラーに並べ、冷ます。

チーズのためのパン

# BREAD
*for cheese*

ストレーゲ

黒こしょうと
カルダモンのグリッシーニ

メルバトースト

4種のセミドライ
（葡萄、無花果、トマト、オレンジ）

チーズのためのセミドライ

# SEMI-DRIED
*for cheese*

# 黒こしょうとカルダモンの
# グリッシーニ

**材料**（作りやすい分量）
強力粉　60g
ドライイースト　1g
塩　ひとつまみ
きび砂糖　小さじ1
ぬるま湯　大さじ2½
オリーブオイル　小さじ½
黒粒こしょう（粗くひく）　小さじ⅓
⇒またはカルダモン（パウダー）小さじ1

**1**　ボウルにすべての材料を入れて手で混ぜ、まとまったら台に移して数回こねる。ボウルに戻してラップをかけ、室温で45分〜1時間発酵させる。
⇒室温が低い場合は、約50℃の湯煎に50分〜1時間かけるか、オーブンの発酵モードを使用する。生地は倍以上にふくらむ
**2**　打ち粉（分量外）をした台に平らに置き、麺棒で約10×20cmに伸ばす。縦長になるよう約5mm幅に切る。手のひらですり合わせるようにして、25cm長さに細長く伸ばす。
⇒太さが均一になるように伸ばす。ここでオーブンを130℃に予熱する
**3**　オーブンシートを敷いた天板に**2**を重ならないように並べ、130℃のオーブンで15〜17分焼く。

見た目はクラッカーのようですが、イーストを入れて発酵させた立派なパン！　たくさん作って常備するのもいいですね。
\* p.102では**ラングル**（ウォッシュタイプ）、**サント・モール・ド・トゥーレーヌ**（シェーブル）を合わせています。

# メルバトースト

**材料**（作りやすい分量）
食パン（8枚切り・
　またはサンドイッチ用）　適量

**1**　食パンの耳を切り落として食べやすい大きさに切り、オーブンシートを敷いた天板に並べ、15分ほど空気にさらして表面を乾燥させる。
⇒ここでオーブンを160℃に予熱する
**2**　160℃のオーブンで3〜4分、うっすら焦げ目がつく程度に焼き、ケーキクーラーに並べて冷ます。

ただのトーストのように思えますが、あなどるなかれ。ひと口サイズに切るだけで、がらっとクラッカーのようになるから不思議。

## ストレーゲ

**材料**（作りやすい分量）
薄力粉、強力粉　各60g
ドライイースト　3g
塩　小さじ1
⇒ゲランドの塩など
ラード　20g
⇒またはバター（食塩不使用・室温に戻す）
水　60㎖
オリーブオイル　小さじ1
塩　適量

**1**　ボウルにすべての材料を入れて手で混ぜ、まとまったら台に移し、3〜4分よくこねる。表面がなめらかになったら1つにまとめ、ボウルに戻してラップをかけ、室温で約1時間発酵させる。
⇒室温が低い場合は、約50℃の湯煎に50分〜1時間かけるか、オーブンの発酵モードを使用する
**2**　1をこぶしで軽くつぶしてガス抜きをし、打ち粉（分量外）をした台に取り出して麺棒で約2mm厚さに伸ばす。フォークでところどころ穴をあけて適当な大きさに切る。
**3**　天板にアルミホイルを敷いて刷毛でオリーブオイル少々（分量外）を塗り、2を並べ、生地の表面に刷毛でオリーブオイル適量（分量外）を塗って塩少々（分量外）をふる。
⇒生地に穴をあけたところで、オーブンを200℃に予熱する
**4**　200℃のオーブンで10〜15分焼く。

ぜひラードを使って作ってみてください。バターだとお菓子っぽく、ラードだと軽いスナックのような雰囲気に仕上がります。パリパリした食感がクセになりますよ。

## SEMI-DRIED
*for cheese*

## 4種のセミドライ
〜葡萄、無花果、トマト、
オレンジ

**材料**（作りやすい分量）
葡萄（好みのもの）　1房
無花果（5mm幅の輪切り）　2〜3個分
ミディトマト（またはミニトマト・
　糖度の高いもの）　1枝（約10個）
オレンジ（3mm幅の輪切り）　1個分

［葡萄］オーブンシートを敷いた天板に並べ、予熱なしの90〜100℃のオーブンで3時間乾燥させる。天板ごと半日以上風通しのよいところにおいて水分を飛ばす。

［無花果］オーブンシートを敷いた天板に並べ、予熱なしの100℃のオーブンで2時間〜2時間半乾燥させる。以下葡萄と同じ。

［トマト］トマトは縦に切り込みを入れてオーブンシートを敷いた天板に並べ、予熱なしの120℃のオーブンで2時間乾燥させる。以下葡萄と同じ。

［オレンジ］オーブンシートを敷いた天板に並べ、予熱なしの100℃のオーブンで30分、表裏を返してさらに30分乾燥させる。以下葡萄と同じ。

**memo**
・冷蔵庫で約2週間保存可能。

どのような種類のチーズでも、ドライフルーツとの相性は格別です。じつはドライフルーツは口直しの要素が強いので、飽きずにいくらでも食べられてしまうのです。

チーズのための保存食

# PRESERVED FOOD
*for cheese*

バルサミコの酸味とコクが加わった深みのある大人なマーマレード。どんなチーズにも合います。
＊ここでは少し追熟させた**シャウルス**（白カビタイプ）を合わせています。

玉ねぎのうまみがぎゅうっと詰まったジャム。さまざまなタイプのチーズによく合いますよ。
＊ここでは**ポン・レヴェック**（ウォッシュタイプ）、**コンテ**（ハードタイプ）を合わせています。

## バルサミコで炊いたオレンジマーマレード

**材料**（作りやすい分量）
オレンジ　2個
バルサミコ　大さじ3
きび砂糖　200g
ブランデー（あれば）　大さじ1½

1　オレンジはよく洗い、皮の外側の色の濃い部分をごく薄くすりおろして除く。その内側の皮を果肉に沿ってナイフでむき、皮についた白いワタをていねいに取り除き、細切りにする。オレンジの果肉は果汁を搾り、果肉をとっておく。
2　鍋に1のオレンジの皮を入れ、ひたひたの水を注いで火にかける。沸騰したらゆでこぼす、を2回繰り返し、最後は冷水につけてざるに上げ、水けをきる。
3　1のオレンジの果肉と果汁は、ミキサーに移して果肉が半分くらい残る程度に攪拌する。
4　鍋に2と3、砂糖、あればブランデーを入れ、15分ほどおく。
5　4を強火にかけ、沸騰したらアクを取り、中火にしてバルサミコを加えて混ぜながら6〜7分煮る。とろみがつき、半量より少し多いくらいになったら火を止め、熱いうちに清潔なふたつき容器に入れる。
⇒固まってしまうので煮詰めすぎないように注意

**memo**
・冷蔵庫で約2週間保存可能。

---

## 玉ねぎと白ワインのジャム

**材料**（作りやすい分量）
玉ねぎ　1個
白ワイン　50ml
きび砂糖　120g
白ワインビネガー　50ml
ローリエ　1枚
シナモン（スティック）　½本
塩　ひとつまみ

1　玉ねぎは薄切りにし、ボウルに入れて砂糖をまぶし、30分おく。
2　鍋に1と残りの材料をすべて入れ、中火にかけて沸騰したらアクを取り、火を弱める。
3　木べらで混ぜながら煮詰め、玉ねぎが透きとおってとろみが出て、鍋底の水分がなくなってきたら火を止め、熱いうちに清潔なふたつき容器に入れる。

**memo**
・冷蔵庫で約2週間保存可能。

## PRESERVED FOOD
*for cheese*

ミンスミートはドライフルーツで
作るイギリスの保存食。塩けのあ
る生ハムを入れてもおいしいです。
チーズに合わせるほか、パイの中
身にしてもいいですし、チーズと
一緒にパウンドケーキに入れても。
＊ここでは**スティルトン**（青カビ
タイプ）を合わせています。

# 生ハムのミンスミート

**材料**（作りやすい分量）
ミックスドライフルーツ
　（できればオーガニックのもの）　150g
**A**｜生ハム（粗みじん切り）　50g
　　林檎（皮をむき粗みじん切り）　½個分
　　ドライ無花果（粗みじん切り）　50g
　　オレンジピール（市販）、くるみ、
　　　アーモンド（ホール）　各30g
　　ピスタチオ（殻をむく）　20g
**B**｜溶かしバター（食塩不使用）　60g
　　きび砂糖　40g
　　レモン汁　大さじ1
　　生姜（すりおろす）、
　　　シナモン（パウダー）　各小さじ½
　　クローブ（パウダー）　少々
ラム酒（またはブランデー）　150mℓ

**下準備**
・**A**のナッツ類はオーブンシートを敷いた
　天板に広げ、160℃に予熱したオーブン
　で6〜7分ローストし、粗みじん切りに
　する。

**1**　ミックスドライフルーツは湯通しをし
て湯をきり、水けをしっかりふき取る。
⇒オーガニックならこの工程は省いてよい
**2**　ボウルに**1**、**A**を入れ、ゴムべらで混
ぜ合わせる。**B**を加えて混ぜ、均一になっ
たらラム酒を加えて混ぜる。清潔なふたつ
き容器に入れ、冷蔵庫でひと晩寝かせる。

**memo**
・冷蔵庫で約1カ月保存可能。

燻製の香りのハニーナッツ。白カ
ビチーズやブルーチーズにぜひ
合わせてみてください。さらにお
酒を合わせるなら、白ワインやウ
イスキーがおすすめです。
＊ここでは**ゴルゴンゾーラ・ピカ
ンテ**（青カビタイプ）を合わせて
います。

# 燻製<ruby>燻製<rt>くんせい</rt></ruby>ナッツのはちみつ漬け

**材料**（作りやすい分量）
燻製チップ　10g
好みのナッツ　適量
⇒くるみ、ピスタチオ、アーモンド、ピーカンナッツ、ヘー
ゼルナッツ、マカダミアナッツ、カシューナッツなど
はちみつ　適量

**下準備**
・深めのふたつきのフライパン（または中
　華鍋）と、フライパンの直径よりひと回
　り小さい網を用意する。

**1**　フライパンにアルミホイルを敷き、燻
製チップを広げる。まわりを囲うようにア
ルミホイルを棒状にしたものでぐるっと土
手を作り、その上に網をのせ、網よりひと
回り小さいアルミホイルを敷き、楊枝で数
カ所穴をあける。ナッツ類を重ならないよ
うに並べて中火にかけ、チップから煙が出
たらふたをして、8〜10分燻す。
**2**　ナッツ類から水分が出るのでキッチン
ペーパーで水けをふき、バットなどに広げ、
1〜2日乾燥させる。
⇒またはフライパンで軽くから炒りする
**3**　2を清潔なふたつき容器に入れ、かぶ
るくらいのはちみつを注ぐ。使うときは下
から混ぜる。

**memo**
・冷蔵庫で約2週間保存可能。

## PRESERVED FOOD
*for cheese*

たとえばカプレーゼのように、ト
マトとチーズとの相性は言うまで
もなく最高。トマトは少し火を通
すだけでうまみが凝縮されます。
用途も多くパスタにもサラダにも
使えるので、たくさん作っておく
のがおすすめです。手間の割にす
ぐになくなってしまいますから。
＊ここではギリシャのフレッシュ
チーズ、**フェタチーズ**とフレッ
シュバジルを合わせています。

# ドライトマトのオイル漬け

**材料**（作りやすい分量）
ミニトマト　400g
⇒縦半分に切って種とそのまわりをスプーンで除き、
キッチンペーパーで余分な水分をふき取る
塩　適量
水　2カップ
酢　大さじ3
**A** ｜ オリーブオイル　1カップ
　　｜ にんにく　1片
　　｜ 黒粒こしょう　5〜6粒
　　｜ ローリエ　1枚

**1** オーブンシートを敷いた天板にトマト
を並べ、塩少々をふり、予熱なしの100℃
のオーブンで3時間乾燥させる。バットに
広げ、風通しのよい場所で1〜2日、自

然乾燥させる。
**2** 鍋に分量の水を沸かし、沸騰したら火
を止め、酢と**1**を入れてふたをして10分
おく。ざるに上げて水けをきり、キッチン
ペーパーに広げて1時間ほど乾かし、清潔
なふたつき容器に入れる。
⇒酢を入れた熱湯でもどすのは、乾いたトマトにオ
イルを浸透しやすくするため
**3** 鍋に**A**と塩少々を入れて火にかけ、オ
リーブオイルが60℃くらいに温まったら
すぐに火からおろして**2**の容器に注ぎ入
れ、ひと晩おく。

**memo**
・冷蔵庫で約2週間保存可能。

# 3.

## チーズとペアリング

チーズをおいしくいただくのに、
合わせるドリンクも大切な要素です。
チーズの味わいがもっともっと広がりますから。
お酒にも、お茶にも、それぞれに合わせる特別なチーズのひと皿。
でも、ペアリングの組み合わせは自由。
あなたのお気に入りを見つけてみて。

# ブリーのマッシュルーム詰め
―― スパークリングワインと

**材料**（作りやすい分量）
★ ブリー　250g
マッシュルーム　12個
玉ねぎ　½個
バター　10g
白ワイン　大さじ1½
塩、黒粒こしょう　各少々

**1**　マッシュルームと玉ねぎはそれぞれ細かいみじん切りにする。
⇒フードプロセッサーを使用する場合、ペースト状になる手前、粒々が残る程度を目安に攪拌する
**2**　フライパンにバターを入れて弱めの中火にかけ、**1**、白ワインを入れて混ぜながらゆっくり炒める。途中出てきた水分が半分くらいになったら弱火にし、しっかり水分が飛ぶまで混ぜながら炒める。水分が飛んでもったりと重くなってきたら、塩をふり、黒こしょうをひいて味をととのえ、火からおろしてそのまま冷ます。
**3**　チーズを横に2等分する。片方の切り口に**2**を均等に、約5mm厚さに塗り、もう片方のチーズを重ねてサンドする。ラップで包んで冷蔵庫にひと晩おき、好みの大きさに切っていただく。

## *pairing*

「農楽蔵 / Raro Frizzante Aromatico 2015」
フレッシュでみずみずしい酸味が印象的な、国産のナチュラルなスパークリング。ほかに辛口の白ワインや辛口の日本酒もペアリングにおすすめです。

マッシュルームをゆっくり炒める
と、トリュフのように香ばしくな
ります。とびきりおいしいのでぜ
ひ試してくださいね。

# パルミジャーノのゼッポリーネ
## —— オレンジワインと

**材料**（各作りやすい分量）
[ 生海苔風味のゼッポリーネ ]
★ パルミジャーノ・レッジャーノ
（すりおろす）　大さじ 4
生海苔　20g
強力粉　60g
薄力粉　40g
塩　ひとつまみ
黒粒こしょう　少々
きび砂糖　小さじ½
ぬるま湯　70㎖
ドライイースト　2g
揚げ油　適量

[ しらす風味のゼッポリーネ ]
★ パルミジャーノ・レッジャーノ
（すりおろす）　大さじ 4
しらす　大さじ 3
強力粉　60g
薄力粉　40g
塩　ひとつまみ
黒粒こしょう　少々
きび砂糖　小さじ½
ぬるま湯　70㎖
ドライイースト　2g
揚げ油　適量

（2種共通）
**1**　ボウルに砂糖、分量のぬるま湯を入れ、ドライイーストを加えて溶かし、10分ほどおく。
**2**　別のボウルに強力粉と薄力粉、塩を入れる。1、チーズ、生海苔（またはしらす）を加え、黒こしょうをひいて、そのつどゴムべらでよく混ぜ合わせる。
**3**　ラップをかけて室温で 1 時間発酵させる。
⇒室温が低い場合は、約 50℃の湯煎に 50 分ほどかけるか、オーブンの発酵モードを使用する
**4**　揚げ油を 180℃に温める。小さめのスプーン 2 本を揚げ油に浸し、**3** の生地を 2 本のスプーンで丸めて油に入れる。ふくらんで、表面が薄いきつね色になったら引き上げて油をきり、塩少々（分量外）をふる。
⇒出来上がりの目安は、直径 2.5 〜 3cm のものが 12 〜 15 個できる

*pairing* ——————

「Pheasant's Tears ／ Chinuri 2018」
うまみのしっかりしたジョージア（グルジア）の自然派オレンジワインに合わせました。ほかにビールや辛口スパークリングワインもペアリングにおすすめです。

外側はカリカリ、中はモチモチ！ころころとかわいいイタリアのおつまみ、ゼッポリーネ。もちろんパルミジャーノもたっぷり入れました。揚げたてがほんとうにおいしいので、温かいうちにぜひ。

林檎とカマンベールを熱々に焼いて、キリッと冷えたシードルで。粒マスタードとシナモンがポイントです。

# 林檎とシナモンのカマンベールロティ
―― シードルと

**材料**（2人分）
★カマンベール　1個
林檎　½個
シナモン（パウダー）　小さじ1
粒マスタード　小さじ1
はちみつ　大さじ2
オリーブオイル　小さじ1

**下準備**
・オーブンは200℃に予熱する。

**1**　林檎は芯を除き、皮つきのまま1cm角に切る。
**2**　ボウルにシナモン、マスタード、はちみつ、オリーブオイルを入れて木べらで混ぜ、**1**を加えてさっくりと混ぜ合わせる。
**3**　スキレット（または耐熱容器）にチーズをのせ、上部の皮を除き、**2**をのせて200℃のオーブンで10〜12分焼く。

*pairing*

「Domaine du Fort Manel / Cidre Cuvee Argile」
ほんのり甘くてうまみの強い、フランス・ノルマンディー地方の自然派シードル。香りも味も素晴らしく、とてもおいしいのでぜひ。

フルーツとブルーチーズを使った
おつまみには、甘口のワインを合
わせて。ゆっくり、じっくりと味
わいたいおいしさです。チーズは
青カビタイプであれば何でも合
います。

# 柿とダナブルーの白和え
## ── 甘口ワインと

**材料**（2人分）
柿　1個
★ ダナブルー（1cm角に切る）　20g
★ クリームチーズ　30g
白だし　小さじ1
メープルシロップ　大さじ1

**下準備**
・クリームチーズは室温に戻してやわらか
くする。

**1**　ボウルに柿以外の材料をすべて入れ、
ゴムべらでよく練り合わせる。
**2**　柿はヘタを取り除いて皮をむき、種が
あれば除く。縦8等分に切り、**1**に加えて
さっくりと和える。
⇒作りおきはせず、和えたらすぐにいただく

*pairing* ─────

「Ezio Cerruti ／ Sol Moscato Passito 2010」
はちみつのような香り、マーマレードのような味わい
のイタリアの甘口ワイン「パッシート」。普通の白ワ
イン（辛口）をグラスに入れ、はちみつ小さじ1、ロー
ズマリーの枝2〜3cm分を入れたオリジナルカクテ
ルも、ペアリングにおすすめです。

リヴァロは、フランス・ノルマンディ地方のウォッシュタイプのチーズ。トロッと溶けたリヴァロに野菜をからめて、フォンデュのようなアヒージョにしました。溶けたチーズってほんとうにおいしいですよね。

# リヴァロとにんにくのアヒージョ
## —— ビールと

**材料**（2人分）
★ リヴァロ（またはカマンベール）　50g
にんにく　½個
ミニトマト　5個
ペコロス　3個
オリーブオイル　適量
塩　ひとつまみ
黒粒こしょう（好みで）　少々

**下準備**
・にんにくは薄皮はついたままで1片ずつにばらす。
・ミニトマトはヘタを取り除く。
・ペコロスは皮をむき、縦半分に切る。

**1**　スキレットににんにく、ペコロス、塩を入れてオリーブオイルをひたひたに注ぐ。弱火にかけてにんにくに火が通ったら、トマトを入れて2分煮る。
**2**　具材を縁に寄せてスキレットの真ん中をあけ、チーズを入れる。チーズが溶けたらすぐに火を止め、好みで黒こしょうをひいていただく。
⇒チーズが溶けすぎないように、またやけどに注意

*pairing* ————

「オルヴァル修道院 ／ Orval」
フレッシュで華やかな香りと深い苦みが特徴のベルギーのトラピストビール。ほかにスパークリングワインもペアリングにおすすめです。

コンテとミモレット、2種のチーズと甘栗に、少しだけ燻製香をまとわせて。甘栗も燻すとさらにおいしくなりますよ。ウイスキーがペアリングのお供です。

# コンテとミモレットと甘栗の燻製
## ── ウイスキーと

**材料**（作りやすい分量）
★コンテ　適量
★ミモレット　適量
甘栗　適量
燻製チップ　大さじ1

**1**　コンテとミモレットはともに、厚さ7mm〜1cmに切る。チーズと甘栗についている水分をキッチンペーパーでしっかりふき取り、15分ほどおいて乾かす。
⇒水分が残ったまま燻すと酸味が出るので注意
**2**　深めのふたつきのフライパン（または中華鍋）にアルミホイルを敷き、燻製チップを広げる。まわりを囲うようにアルミホイルを棒状にしたものでぐるっと土手を作り、その上に網をのせ、網よりひと回り小さいアルミホイルを敷き、楊枝で数カ所穴をあける。チーズと甘栗を並べて強火にかけ、チップから煙が出たらふたをして、中火で5分燻す。
**3**　チーズを好みの大きさに切り、甘栗とともに器に盛る。

### pairing

「Michel Couvreur ／
Couvreur's Clearach　alc.43％」
シングルモルト・ウイスキーをシェリー樽で2〜3年熟成。ノン・フィルターのピュアな味わい。

矢生姜の肉巻きは大好きな料理ですが、日本酒とも相性のよいコンテをプラスするとさらにおいしく！ お酒がすすみます。もちろん矢生姜や谷中生姜のほか、新生姜でも。

# 矢生姜とコンテの肉巻き
## ── 日本酒と

**材料**（2人分）
矢生姜（または谷中生姜）　4本
★コンテ　40g
豚ロース薄切り肉　100g
塩、黒粒こしょう　各少々
サラダ油　少々

**1**　チーズは幅約5mm×長さ7cmの棒状に切る。
**2**　豚肉は広げて塩をふり、黒こしょうをひき、矢生姜と**1**を巻く。
**3**　サラダ油を薄く引いたフライパンを中火にかけ、**2**を焦げ目がつく程度に全体にこんがりと焼く。

*pairing* ────

「久保本家酒造／生酛のどぶ」
「寺田本家／醍醐のしずく」
昔ながらの生酛仕込み、菩提酛仕込みの日本酒に合わせました。「生酛のどぶ」は、ぬる燗にするのが気に入っています。「醍醐のしずく」は米ぬかのような香りに、ヨーグルトのような酸味があります。

じっくり甘みを引き出した焼き
ねぎに、とろけるエポワスをラ
クレットのようにたっぷりかけて。
エポワスのほか、マンステールや
モン・ドール（ともにウォッシュ
タイプ）でもおいしくできます。
モン・ドールの場合は、フライパ
ンでは温めず、そのまま熱々の焼
きねぎにのせます。

# 焼きねぎのエポワスラクレット
## ―― 泡盛と

**材料**（2人分）
長ねぎ（白い部分）　½本
★エポワス　大さじ2

**1**　ねぎは4～5cm長さのぶつ切りにする。
**2**　フライパンに**1**を並べ、弱火でじっく
り焦げ目がつくように焼く。火を止め、ね
ぎを脇に寄せてあいたところにチーズを入
れ、余熱で軽く火を入れる。
**3**　ねぎが熱いうちに器に盛り、上にチー
ズをのせる。

*pairing* ―――――――――――

「宮里酒造所／和乃春雨（おのはるさめ）」
泡盛は「豆腐よう」とも相性がよいように、ウォッシュ
タイプのチーズを使ったくせのあるひと皿ともぴっ
たりです。

# 5種のチーズの漬け物
── 貴醸酒と

## a 酒粕漬け

**材料**（作りやすい分量）
★好みのチーズ（4〜5cm大に切る）　約60g
⇒カマンベールや青カビタイプのチーズ全般、モッツァレラ、ハルミ、フェタチーズなどがおすすめ
酒粕　40g
みりん、日本酒　各大さじ1
塩　少々

清潔なふたつき容器（またはポリ袋）にチーズ以外の材料を入れてよく混ぜ合わせ、チーズを加えてひと晩漬け込む。いただくときに食べやすく切る。

## b 紹興酒漬け

**材料**（作りやすい分量）
★好みのチーズ（4〜5cm大に切る）　約60g
⇒ポーションタイプのクリームチーズがおすすめ
紹興酒　100㎖
醤油　大さじ1

清潔なふたつき容器に紹興酒と醤油、チーズを入れてひと晩漬け込む。いただくときに食べやすく切る。

## c 味噌漬け

**材料**（作りやすい分量）
★好みのチーズ（4〜5cm大に切る）　約60g
⇒ウォッシュタイプ、青カビタイプ全般がおすすめ
味噌　40g
みりん、日本酒　各大さじ1

酒粕漬け同様に漬け込む。

## d 腐乳漬け

**材料**（作りやすい分量）
★好みのチーズ（4〜5cm大に切る）　約60g
⇒モッツァレラ、タレッジョ、カマンベールなどがおすすめ
腐乳　30g
みりん　大さじ2
日本酒　大さじ1

酒粕漬け同様に漬け込む。

## e 卵黄とアボカドの
　　タレッジョ味噌漬け

**材料**（作りやすい分量）
★タレッジョ（1cm角に切る）　50g
⇒ウォッシュタイプ全般がおすすめ
卵黄　1個分
アボカド　½個
⇒種を除き、皮をむいて7mm幅に切る
味噌　大さじ2
みりん　大さじ1

**1**　チーズは耐熱容器に入れて電子レンジで20秒加熱し、味噌、みりんを加えて混ぜ合わせ、漬け床を作る。
**2**　20×20cmにラップを広げて1の半量を薄く伸ばし、上に卵黄をのせて巾着に包んでゴムで留める。残りの1も同様にしてアボカドを包む。冷蔵庫でひと晩おく。
⇒アボカドは漬け床に触れていない部分が黒く変色してしまうので、まんべんなく薄く塗る

*pairing* ────────

「新政酒造／陽乃鳥」
貴醸酒は水の代わりに日本酒で仕込んだ贅沢な日本酒。「陽乃鳥」は濃厚で上品な甘み。

チーズを使った漬け物の盛り合わせをいろいろと。どのお酒とも相性がよいですが、貴醸酒にぴったりです。好みの漬け床とチーズの組み合わせを見つけてください。

クリーミーなブッラータの中身、
ストラッチャテッラをフレッシュ
な桃にからめて召し上がれ。桃は
皮がついたままいただくのがおす
すめです。皮と実の間がいちばん
おいしいですから。甘酸っぱい梅
酒ともよく合います。

# 桃とストラッチャテッラのデザート
── 梅酒と

**材料**（作りやすい分量）
桃　1個
★ストラッチャテッラ（p.88 参照）　80g
レモン汁　1/4個分
レモンの皮（すりおろす）　1/4個

1　桃はうぶ毛をやさしくこすり取るよう
に流水で洗う。皮つきのまま縦8等分に
切って種を取り、レモン汁をふる。
2　器に1とチーズを盛り、レモンの皮を
散らす。

## *pairing*

「山口酒造場／特撰梅酒 うぐいすとまり 鶯（おう）とろ」
梅の果肉が入ったとろみのある高級梅酒。フルー
ティーな酸味と濃厚な味わい。

キャラメルのような不思議な北欧のチーズ、イエトオスト。アマレットに浸すと雰囲気がガラッと変わり、チョコレートのようにいただけます。ペアリングにぴったりなのは断然コーヒー！

# イエトオストのアマレット漬け
## ── コーヒーと

**材料**（作りやすい分量）
★ イエトオスト　40g
アマレット　適量
好みのナッツ　適量
⇒皮つきアーモンドや皮つきヘーゼルナッツ、くるみ、マカダミアナッツなど

**1**　チーズはチーズスライサーで薄切りにする。
**2**　清潔なふたつき容器に **1** を入れ、アマレットをひたひたに注ぐ。冷蔵庫でひと晩以上漬ける。
**3**　好みのナッツとともに器に盛る。

*pairing* ─────────

コーヒーはホットでもアイスでもどちらでも。カフェオレもよく合います。コーヒーには砂糖を入れないほうが、アマレットの杏のような甘みを感じられておすすめです。ナッツとも好相性。

甘さ控えめなうまみの深いサブ
レ。牛蒡のうまみとチーズの塩け
が、スモーキーな味わいの中国紅
茶にぴったりです。ザクザクとし
た歯ごたえもとてもよいですよ。

# エダムチーズと牛蒡のサブレ
## ── ラプサン・スーチョンと

材料（作りやすい分量）
★ エダム（すりおろす）　40g
牛蒡（ささがきにして水にさらす）　80g

A｜バター（食塩不使用）　50g
　｜きび砂糖　小さじ1
　｜塩　ひとつまみ
　｜黒粒こしょう　少々

B｜薄力粉　70g
　｜全粒粉　30g
　｜ベーキングパウダー　小さじ½
　｜水　大さじ1

塩（仕上げ用）　少々
⇒マルドンの塩のように大きく結晶したもの

1　牛蒡は水けをきって20分ほどおいて
乾かし、フードプロセッサーで攪拌する。
Aを加えて軽く混ぜ、チーズ、Bを加えて
攪拌し、1つにまとまったらすぐに止める。

2　1をラップに広げて包み、直径約5cm
の棒状に成形し、冷蔵庫で30分休ませる。
⇒ここでオーブンを180℃に予熱する

3　2を冷蔵庫から出し、ラップをはず
して7mm幅に切り、オーブンシートを
敷いた天板に並べて仕上げ用の塩をふる。
180℃のオーブンで13～15分焼く。

### pairing

「ラプサン・スーチョン」
燻した中国紅茶。スモーキーな味わいが特徴です。
製法は少し違いますが、日本の煎り番茶も合います。

# 4.

## 手作りフレッシュチーズ

市販のチーズとのいちばんの違いは
作りたてのおいしさ!! きっと驚かれると思います。
おいしく仕上げるポイントは、しっかり水きりすること。
清潔な道具やガーゼを使用すること。
使用する酢は、一般的な穀物酢、米酢、
白ワインビネガーなどで OK です。

# 自家製カッテージチーズ

そのままはちみつをかけたり、果物と一緒に、野菜サラダに、料理にも大活躍。
さらにカッテージチーズを作る過程でできたホエーでリコッタチーズができるのです。

**材料**（出来上がり量200〜250g）
牛乳（乳脂肪分の高いもの）　1ℓ
酢　大さじ2

**1**　鍋に牛乳を入れて火にかけ、沸騰直前
で酢を加え、火を止め静かに混ぜる。分離
したらそのまま冷めるまでおく。
**2**　ボウルに重ねたざるに、水にぬらして
固く絞ったガーゼを敷いて1をあけ、漉
して固形物と水分を分ける。敷き込んだ
ガーゼでチーズを包み、手で水けを絞る。
⇒ガーゼの代わりに、二重に重ねた厚手のキッチン
ペーパーで漉してもよい
⇒分けた水分（ホエー）でリコッタチーズが作れる

---

*arrange*

# 自家製リコッタチーズ

**材料と作り方**（出来上がり量180〜200g）
**1**　ホエー500mℓと牛乳（乳脂肪分の高い
もの）1ℓを鍋に入れて火にかけ、鍋の縁
がふつふつするまで温める。酢大さじ2を
少しずつ加えて混ぜ、分離したら火を止め、
冷めるまでおく。
**2**　ボウルに重ねたざるに、水にぬらして
固く絞ったガーゼを敷いて1をあけ、漉し
て固形物と水分を分ける。敷き込んだガー
ゼでチーズを包み、ラップをかけて皿など
で重石をして、冷蔵庫でひと晩水きりする。

上記自家製カッテージチーズのほか、自
家製パニール（p.130）、自家製フロマー
ジュ・ブラン（p.134）、水きりヨーグル
トからもホエーができるので、それらを
使っても。

出来たてのチーズをおいしく味
わいましょう。グレープフルーツ
のさっぱりサラダにアレンジして。
はちみつの甘さと粒マスタードの
酸味がよく合います。

*arrange*

# リコッタとグレープフルーツのサラダ

**材料**（2 人分）
★ 自家製リコッタチーズ（p.128 参照）
　　50 g
グレープフルーツ　1 個
A｜はちみつ　大さじ 2
　　粒マスタード　小さじ 1
　　白ワインビネガー（またはレモン汁）
　　　小さじ 2
　　オリーブオイル　大さじ 1
　　塩、黒粒こしょう（粗くひく）　各少々
ルッコラ（葉をはずす）　適量

**1**　チーズは手でちぎり、グレープフルー
ツは皮をむき、1 房ずつ果肉を取り出して
食べやすい大きさにちぎる。
**2**　ボウルに **A** を合わせて混ぜる。
**3**　器に **1** を盛り、**2** をスプーンで回しか
け、ルッコラを散らす。

# 自家製パニール

パニールはインドのフレッシュチーズ。作りたてはほんとうにおいしい。
固く絞って重石をして、しっかり水きりするのがポイント。アレンジもできるチーズです。

**材料**（出来上がり量 170 〜 190g）
牛乳（乳脂肪分の高いもの）　1ℓ
プレーンヨーグルト　200g
酢　大さじ2

**1**　鍋に牛乳とヨーグルトを入れて火にかけ、沸騰直前で酢を加えて、2〜3回ゆっくり混ぜる。分離したら、火を止め冷ます。
**2**　ボウルに重ねたざるに、水にぬらして固く絞ったガーゼ（または二重に重ねた厚手のキッチンペーパー）を敷き、**1**をあける。敷き込んだガーゼでチーズを包み、手で水けを絞る。
**3**　**2**のチーズを一度取り出し、洗って水けを絞ったガーゼでチーズを包み直し、円盤状に成形する。ざるに入れ、ラップをかけて皿などで重石をして、2〜3回ガーゼを替えながら、冷蔵庫でひと晩水きりする。

*arrange*

## スパイスパニール

**材料と作り方**（出来上がり量 170 〜 190g）
上記「自家製パニール」の作り方 **1** で酢を加えたあと、クミン（シード）小さじ1と瓶の底などでつぶしたコリアンダー（シード）小さじ1、粗くひいた黒粒こしょう小さじ½、種を取ってみじん切りにした鷹の爪1本分、塩少々を加えて混ぜる。以下同様にして作る。

パニールをスパイスでアレンジ。はちみつをかけたり、炒め物に使ってもおいしいですよ。

# オレンジパニール、オイルサーディンと

**材料**（出来上がり量180〜200g）
[ オレンジパニール ]
牛乳（乳脂肪分の高いもの）　1ℓ
プレーンヨーグルト　200g
オレンジ（果肉を取り出し
　　細かくちぎる）　2個
酢　大さじ2

オイルサーディン、バゲット　各適量

**1**　オレンジパニールを作る。鍋に牛乳を入れて火にかけ、沸騰直前でヨーグルトを加えて軽く混ぜ、80℃くらいまで温める。オレンジを加えて混ぜ、80℃くらいを保ちながら木べらでやさしく鍋肌に果肉をこすりつけ、果肉の粒をばらす。果肉がバラバラにほぐれたらすぐに酢を加え、2〜3回ゆっくりかき混ぜ、分離したら火を止める。
⇒果肉を煮てしまわないように注意
**2**　p.130「自家製パニール」の作り方**2**、**3**と同様にして作り、冷蔵庫でひと晩水きりする。
**3**　ボードにオイルサーディン、バゲットとともにのせ、一緒にいただく。

青魚との相性もよく、オイルサーディンとともにバゲットにのせてもおいしくいただけます。好みでディルやミントを散らして、黒こしょうをひいても。

# 自家製クリームチーズ

自宅でできるクリームチーズの作り方。少し生クリームが余ったときなどに
覚えておいて。デザートに、パスタにいろいろ使ってみてください。

**材料**（出来上がり量約250g）
プレーンヨーグルト　500g
生クリーム　100mℓ
塩　4g

**1**　ボウルにヨーグルトと生クリームを入
れ、ヨーグルトのダマがなくなるまで泡立
て器でよく混ぜ、塩を入れてさらに混ぜる。
**2**　別のボウルに重ねたざるに、水にぬら
して固く絞ったガーゼを二重にして敷き、
**1**をあける。
⇒ガーゼの代わりに、二重に重ねた厚手のキッチン
ペーパーで漉してもよい
**3**　ざるに入れたまま、ガーゼでチーズを
包み直し、ラップをかけて皿などで重石を
して、冷蔵庫でひと晩以上水きりする。

*arrange*

## ハーブチーズパスタ

**材料**（2人分）
ペンネ　180g
好みのハーブ（みじん切り）　大さじ2
⇒ディル、バジル、ミント、ルッコラ、パセリなど
2～3種類を合わせる
**A** ┃ ★自家製クリームチーズ
　　　　（上記参照・室温に戻す）　120g
　　　★パルミジャーノ・レッジャーノ
　　　　（すりおろす）　大さじ4
　　　白ワイン　大さじ2
　　　オリーブオイル　大さじ1½
生ハム（2cm幅に切る）　2～3枚

塩　適量
黒粒こしょう　少々

**1**　ペンネは塩を加えた湯で表示どおりに
ゆでる。
**2**　ボウルに好みのハーブと**A**を入れてよ
く混ぜる。湯をきった**1**を加えてさっく
りあえ、生ハムを加えて軽く混ぜ、塩少々
で調味して黒こしょうをひく。皿に盛り、
飾り用のハーブ（分量外）を添える。

アレンジは簡単にできるパスタ。
やはり自家製チーズで作るとひと
味違います。お好きなハーブを
たっぷり入れてくださいね。

# 自家製フロマージュ・ブラン

材料は２つ。手作りチーズの中でも特におすすめなのがこちら。
ぜひ作りたてのおいしさを味わって。フロマージュ・ブランからできる
とびきりおいしいデザート、フォンテーヌブローを作るのも楽しみです。

**材料**（出来上がり量約360g）
プレーンヨーグルト　500g
生クリーム　200ml

**1**　ボウルにヨーグルトと生クリームを入れ、ヨーグルトのダマがなくなるまで泡立て器でよく混ぜ合わせる。
**2**　別のボウルに重ねたざるに、水にぬらして固く絞ったガーゼを二重にして敷き、**1**をあける。
⇒ガーゼの代わりに、二重に重ねた厚手のキッチンペーパーで漉してもよい
**3**　ざるに入れたまま、ガーゼでチーズを包み直し、ラップをかけて冷蔵庫でひと晩水きりする（重石は不要）。

*arrange*

# フォンテーヌブロー

**材料**（２～３人分）
★自家製フロマージュ・ブラン（上記参照）
　180g
生クリーム　100ml
きび砂糖　大さじ１

**1**　ボウルにチーズを入れて泡立て器でよく混ぜる。
**2**　別のボウルに生クリームと砂糖を入れ、泡立て器で７分立てにする。
**3**　**1**に**2**を加え、泡をつぶさないようゴムべらで切るようにさっくり混ぜ合わせる。

**4**　別のボウルに重ねたざるに、水にぬらして固く絞ったガーゼを二重にして敷き、**3**をあける。
⇒ガーゼの代わりに、二重に重ねた厚手のキッチンペーパーで漉してもよい
**5**　ざるに入れたまま、ガーゼでチーズを包み直し、ラップをかけて冷蔵庫でひと晩水きりする。
⇒空気を含んだふわふわ感を損なうので、重石は不要

**memo**
・このままでもおいしいですが、好みでジャムや砂糖をプラスしていただきます。

乳製品それぞれのおいしいところ
をギュッと凝縮したような、この
ままでも極上のチーズケーキのよ
う。ホームパーティーのデザート
にも喜ばれます。

# 自家製マスカルポーネ

イタリアのこっくりおいしいマスカルポーネ。作りたてはまた格別です。
そのまま果物に添えて、パンやクラッカーにのせて、リゾットやパスタにも。

**材料**（出来上がり量約250g）
生クリーム　400mℓ
酢　大さじ1

**1**　生クリームを鍋に入れて弱火にかけ、80℃まで温めたら火を止める。酢を加えて木べらで混ぜ合わせ、15分そのままおく。
**2**　ボウルに重ねたざるに、水にぬらして固く絞ったガーゼを二重にして敷き、**1**をあける。
⇒ガーゼの代わりに、二重に重ねた厚手のキッチンペーパーで漉してもよい
**3**　ざるに入れたまま、ガーゼでチーズを包み直し、ラップをかけて冷蔵庫でひと晩水きりする（重石は不要）。

*arrange*

## マスカルポーネ
## ゴルゴンゾーラ

**材料と作り方**（作りやすい分量）
自家製マスカルポーネ（上記参照）100g
をボウルに入れ、ゴムべらで軽く練り混ぜる。1cm角に切ったゴルゴンゾーラ・ピカンテ100gを加え、ゴルゴンゾーラの粒を完全につぶさないよう、マスカルポーネで包むように混ぜ合わせる。清潔なガーゼ（またはキッチンペーパー）で包み、ラップに包んで冷蔵庫に入れる。

このままいただいてもおいしいですが、トーストにのせてはちみつをかけたり、パスタと和えたり、リゾットにも大活躍。ゆでたて熱々のじゃがいもやさつまいもにのせて、溶けたところをパクッと頬張るのも至福です。

*column.*

# 一度は食べたい特別なチーズ②

---

## LE DÉLICE DES CRÉMIERS

### デリス・デ・クレミエ

| 産 地：フランス |
|---|
| タイプ：白カビ |

**[ おいしい食べ方 ]**
ふわふわな粉雪が降り積もったような
真っ白なチーズは、ひと口食べればまさ
に至福。はちみつや果物との相性もよく、
濃厚なデザートのよう。

**[ チーズについて ]**
白カビでクリーミーなチーズは選びきれ
ないほどおすすめがありまして、ほかに
もブリヤ・サヴァラン・アフィネに、デ
リス・ド・ブルゴーニュ！　いずれもク
リームを加えて作られており、「ダブル
クリーム」「トリプルクリーム」と呼ば
れています。そのままで濃厚なチーズ
ケーキのような味わいには、もちろん赤
や白ワイン、スパークリングワインとも
相性がよいのですが、日本酒、コーヒー、
紅茶ともおいしくいただけます。

## LANGRES

### ラングル

| 産 地：フランス・シャンパーニュ |
|---|
| タイプ：ウォッシュ |

**[ おいしい食べ方 ]**
見た目と中身がまったく異なる
ウォッシュタイプのチーズ。味わい
は少し塩けが強め、ねっとりとなめ
らかな濃厚さ。一般的に産地が同じ
シャンパンとのマリアージュがすす
められていますが、私のイチ押しは
日本酒！　ちょうどよい塩けと独特
な香りは、まさにお酒のアテ。中心
部に白い芯が残る若いものはこっく
りとクリーミーで、ウォッシュタイ
プが苦手な方でも比較的食べやすい
と思います。熟成し、とろみが出た
ものも魅力的な味わい。

**[ チーズについて ]**
ご自宅で味わいの変化を楽しむのに冷蔵
庫で追熟させるのもよいかもしれません。
ただし強い香りがほかの食材にも移って
しまいますので、ラップに包んで密閉容
器に入れ、しっかりふたをして。熟しす
ぎて食べごろを逃さないために、毎日確
認しましょう。

# チーズを贈る、
# チーズを運ぶ

チーズを家で楽しむだけではもったいない！　たくさんの種類の中から厳選してプレゼントにしたり、詰め合わせてホームパーティーの手土産にしたり、一緒にワインを持ってピクニックに出掛けたり……。日常でチーズを味わうシーンもさまざまです。ラッピングや、外でいただくアイディアを詰め込みました。

IDEA.1

# チーズを手土産に

ホームパーティーの手土産に迷ったら、ア
ペリティフ（食前酒）または、ディジェス
ティフ（食後酒）用にチーズとワインはい
かがでしょう。お気に入りのチーズや手作
りのジャムなどをたくさん詰めて。

[ チーズを贈る、チーズを運ぶ ]

大きめの箱の底に保冷剤を2〜3個置き、ペー
パークッションを敷きます。ナッツやドライフ
ルーツ、りんごはそのまま、手作りのジャムな
どは瓶に詰めて、フレッシュタイプのチーズは
透明なプリンカップがちょうどいいです。セミ
ハードやハードタイプのチーズはあらかじめ食
べやすい大きさに切り、ワックスペーパーに包
みましょう。フランスのチーズは可愛い木箱に
入っていることが多いので、そのまま箱に入れ
てもいいですね。アクセントにローズマリーの
枝やオリーブの枝を飾ると華やかに。

## ワインとチーズでピクニック

天気のよい日はワインとチーズを持って、
ピクニックに行きませんか？ 自然の中で
ゆっくり味わうペアリングもまた格別です。

[ チーズを贈る、チーズを運ぶ ]

せっかく自然の中に行くのであれば、使い捨て
のものは避けましょう。大丈夫、荷物はそれほ
どいりません。ワインオープナーとワイングラ
スの代わりに割れにくいコップと、折り畳みナ
イフに小さなカッティングボードがあればお
皿の代わりにも。セミハードやハードタイプ
のチーズはあらかじめ食べやすい大きさに切り、
瓶に立てて詰めると便利です。ナッツやドライ
フルーツもアソートして、瓶に詰めましょう。
バゲットやフルーツもそのまま。バスケットに
すべて入ってしまいます。

[ IDEA.3 ]

## お気に入りのチーズをプレゼント

チーズが好きな方なら、ギフトにして贈り
ましょう。あの人の喜ぶ顔を考えながら、
ひとつひとつセレクトすることは、なんと
も楽しく幸せな時間です。きっと喜んでも
らえるはず。

[ チーズを贈る、チーズを運ぶ ]

箱の底に凍らせた保冷剤を1〜2個置き、ペー
パークッションを敷きます。フレッシュタイプ
のチーズやシェーブルチーズならプリンカップ
に、手作りジャムは小さめの瓶に詰めましょう
（瓶の煮沸消毒は忘れずに）。セミハードやハー
ドタイプのチーズはあらかじめ食べやすい大き
さに切り、ワックスペーパーを挟み、好きなラッ
ピングペーパーでくるっと包みます。姫りんご
や枝つきレーズン、殻つきのくるみを入れても
いいですね。もちろん食品なので「すぐに開け
てね」と伝えることを忘れずに。

# Index

## Scales（スケイル）

料理研究家。デザイナー職を経てイタリアに渡り、ミラノの ISTITUTO MARANGONI CORSO MASTER 課程終了。現地の風土と食文化に魅せられ料理の世界へ。食材の旬と自らの感性を大切にし、季節感あふれる、お酒にも合う料理を多数提案する。著書に『果物のひと皿』（小社刊）がある。
Instagram : @_s_c_a_l_e_s_

料理・撮影・スタイリング　Scales
デザイン　福間優子
イラスト　ほりはたまお
校正　かんがり舎、三柴直子
DTP　かんがり舎
PD　栗原哲朗（図書印刷）

編集長　山口康夫（MdN）
企画編集　若名佳世（MdN）

# チーズのひと皿

2020年10月10日　第1版第1刷発行
2022年 4月 6日　第1版第3刷発行

著　　者　Scales

発 行 人　山口康夫
発　　行　株式会社エムディエヌコーポレーション
　　　　　〒101-0051 東京都千代田区
　　　　　神田神保町一丁目105番地
　　　　　https://books.MdN.co.jp/
発　　売　株式会社インプレス
　　　　　〒101-0051 東京都千代田区
　　　　　神田神保町一丁目105番地
印刷・製本　図書印刷株式会社

【カスタマーセンター】
造本には万全を期しておりますが、
万一、落丁・乱丁などがございましたら、
送料小社負担にてお取り替えいたします。
お手数ですが、カスタマーセンターまでご返送ください。

【落丁・乱丁本などのご返送先】
〒101-0051 東京都千代田区神田神保町一丁目105番地
株式会社エムディエヌコーポレーション
カスタマーセンター
TEL：03-4334-2915

【内容に関するお問い合わせ先】
info@MdN.co.jp

【書店・販売店のご注文受付】
株式会社インプレス　受注センター
TEL：048-449-8040／FAX：048-449-8041

ISBN 978-4-295-20322-3
C2077